W9-DFS-712

Anthelme
Brillat-Savarin

Fizjologia smaku

Anthelme Brillat–Savarin

Anthelme
Brillat-Savarin

Fizjologia smaku
albo
Medytacje
o gastronomii
doskonalej

Wybór opracował Wacław Zawadzki
Przełożyła i wstępem poprzedziła Joanna Guze

Ilustracje Bertalla

Państwowy Instytut Wydawniczy

Tytuł oryginału
«Physiologie du goût
ou méditations de gastronomie transcendante»

Ilustracje dobrał
Wacław Zawadzki

Projekt graficzny okładki i stron tytułowych
Katarzyna Wiśniewska

Księgarnia internetowa
www.piw.pl

polub PIW

ISBN 978-83-64822-12-4

Dystrybucja:
Dictum sp. z o.o.
ul. Kabaratowa 21, 01-942 Warszawa
tel. 22 663 98 13
e-mail: biuro@dictum.pl
Printed in Poland

Państwowy Instytut Wydawniczy w likwidacji, Warszawa 2015
ul. Foksal 17, 00-372 Warszawa
e-mail: piw@piw.pl   www.piw.pl
Wydanie czwarte
Skład i łamanie: Anter-Poligrafia ul. Foskal 17, Warszawa
Druk i oprawa:
Drukarnia Wydawnicza im. W.L. Anczyca S.A. Kraków

Wstęp

Fizjologię smaku albo Medytacje o gastronomii doskonałej Anthelme Brillat-Savarin napisał u schyłku życia, mając lat siedemdziesiąt: na rok przed śmiercią. Nic nie zapowiadało ani powstania, ani kariery tej książki. Brillat-Savarin, urodzony w 1755 roku w Belley i wywodzący się z rodziny od pokoleń pełniącej funkcje w sądownictwie, przygotowywał się do tego samego zawodu; objąwszy wpierw stanowisko w sądzie w Belley, został niedługo potem wybrany deputowanym do Stanów Generalnych; w późniejszej Konstytuancie reprezentował poglądy umiarkowane, jeśli nie zachowawcze, co na razie – mimo czasów rewolucyjnych – nie zaważyło na jego losach.

Z kolei piastuje urząd przewodniczącego trybunału cywilnego w Ain, potem, w 1791 r., jest sędzią trybunału kasacyjnego, w 1792 r. zaś merem Belley. Postawa polityczna Brillat-Savarina nie mogła mu jednak przynieść łask Rewolucji: zagrożony prześladowaniami, uchodzi do Szwajcarii, a niedługo potem wyjeżdża do Stanów Zjednoczonych. Mieszka w Nowym Jorku, gdzie utrzymuje się z udzielania lekcji francuskiego oraz z gry w orkiestrze w jednym z tamtejszych teatrów.

W roku 1796, po trzech latach spędzonych w Ameryce, Brillat-Savarin wrócił do Francji. Tu rozpoczął na nowo karierę publiczną: był sekretarzem sztabu generalnego armii francuskiej w Niemczech, potem komisarzem rządu przy trybunale Seine-et-Oise; wreszcie został powołany do trybunału kasacyjnego w Paryżu i tu pełnił funkcję sędziego aż do śmierci. Od tej kariery wyraźnie urzędniczej, choć urozmaiconej podróżami za

5

granicę i dość wyjątkowym jak na owe czasy pobytem w Ameryce, daleko jednak do literatury i utworu tak specjalnego jak *Fizjologia smaku*. Owszem, Brillat-Savarin był człowiekiem doskonale oczytanym, wykształconym, parał się nawet po trosze pisaniem – ogłosił dwa dziełka, *Szkic historyczny i krytyczny o pojedynku* i *Fragment o administracji sądowniczej*, ale nie zdradzają one tego talentu pisarskiego, który sprawił, że krytyka ówczesna obwołała *Fizjologię smaku*, zaraz po jej ukazaniu się, utworem najwyższego lotu. Mniejsza zresztą o głosy dawno zapomnianych krytyków; znacznie jest ciekawsze, że Balzac poświęcił Brillat-Savarinowi artykuł, w którym podkreśla niepospolite zalety literackie *Fizjologii smaku*: „Od szesnastego wieku, wyjąwszy La Bruyère'a i La Rochefoucaulda, żaden prozaik nie potrafił nadać zdaniu francuskiemu tak żywej formy. Przede wszystkim jednak odznacza się Brillat-Savarin zmysłem komicznym ukrytym pod dobrodusznością – cecha wyróżniająca literatury francuskiej wielkiej epoki, która rozpoczęła się z przybyciem do Francji Marii Medycejskiej. Książka, podobając się za pierwszym razem, przy powtórnej lekturze tylko zyskuje".

Sąd zapewne nieco przesadny, zwłaszcza zważywszy porównanie z mistrzami takimi, jak La Bruyère i La Rochefoucauld; w każdym jednak razie jest oczywiste, co Balzac w prozie Brillat-Savarina sobie ceni: jasność i elegancję stylu, dowcip i wdzięk, lekkość i celność. I może te właśnie zalety sprawiają, że *Fizjologia smaku* jest lekturą świetniejszą, niż wynikałoby z przedmiotu, o którym traktuje.

Rzecz ciekawa zresztą, że czytając tę książkę odnosi się wrażenie, iż pisał ją światowiec, który rozrywkom towarzyskim, spotkaniom, rozmowom, polowaniom, nade wszystko zaś „rozkoszom stołu", poświęcał cały swój czas. Tymczasem jej autorem jest człowiek, który równie skrupulatnie, jak fachowo wypełniał swoje urzędnicze obowiązki i sędziowskie funkcje, żywot prowadził raczej skromny i jeśli brał udział w życiu towarzyskim (znajomości miał świetne: wysokie kręgi sądownictwa, sławny salon pani Recamier, kuzynki Brillat-Savarina), to ograniczonym do wybranych starannie przyjaciół. Nie gardził oczywiście przyjęciami i obiadami, których kompozycję, potrawy, akcesoria i styl z takim wdziękiem, precyzją i humorem opisuje, przeciwnie, znajdował w nich wielkie upodobanie jako smakosz, człowiek z natury towarzyski, biegły w rozmowie, obserwator sytuacji i charakterów, obdarzony przy tym doskonałą pamięcią anegdoty i dowcipu. Ta pamięć i talent narracyjny przysłużyły się Brillat-Savarinowi znakomicie, gdy pisał swoją opowieść o przygodach i doświadczeniach smaku; na wpół żartobliwie, na wpół serio z przedmiotu swego wyboru czyni sztukę, wiedzę i przyjemność razem i w tej postaci poleca go względom czytelników, z góry pewien efektu: nie byłby Francuzem, gdyby przy temacie tak niezawodnym myślał inaczej. Ale co może sam temat, najbardziej nawet niezawodny? Szczęściem ten sędzia z profesji, znawca i kodyfikator spraw kuchni z zamiłowania i bajczarz z temperamentu umiał pisać.

Aforyzmy profesora

mające służyć za prolegomena
do jego dzieła oraz za wieczyste
podwaliny dla nauki.

1
Świat bez życia jest niczym, a odżywia się wszystko, co żyje.

2
Zwierzęta się wypasają; człowiek je; ale umie jeść tylko człowiek inteligentny.

3
Losy narodów zależą od ich sposobu odżywiania się.

4
Powiedz mi, co jesz, a powiem ci, kim jesteś.

5
Stwórca każąc człowiekowi jeść, aby mógł żyć, za zachętę dał mu apetyt, a za nagrodę – przyjemność.

6
Smakoszostwo jest aktem naszej władzy sądzenia, w którym przyznajemy pierwszeństwo temu, co naszemu smakowi miłe, nad tym, co nic ma z tej zalety.

7
Rozkosze stołu są przywilejem każdego wieku, każdej kondycji, każdego kraju, każdego dnia; mogą być w zgodzie z wszelką przyjemnością i one na ostatek są nam pociechą po utracie innych.

8

Stół to miejsce jedyne, gdzie człowiek nigdy nie zazna nudy przez pierwszą godzinę.

9

Odkrycie nowego dania większym jest szczęściem dla ludzkości niż odkrycie nowej gwiazdy.

10

Ci, co się obżerają albo upijają, nie umieją ani jeść, ani pić.

11

Porządek potraw idzie od najbardziej sycących do najbardziej lekkich.

12

Porządek napojów od najbardziej łagodnych do najmocniejszych i największego bukietu.

13

Herezją jest sądzić, że nie należy zmieniać win; język się nasyca; po trzecim kieliszku najlepsze wino nie ma smaku.

14

Deser bez sera jest jak piękna kobieta bez oka.

15

Można zostać kucharzem, ale człowiek rodzi się pasztetnikiem.

16

Najbardziej nieodzowną zaletą kucharza jest punktualność; powinna ona być również zaletą gościa.

17

Zbyt długie czekanie na spóźniającego się biesiadnika jest brakiem względów dla już obecnych.

18

Ten, co podejmuje przyjaciół, a nie zatroszczył się sam o posiłek, który zostanie im podany, jest niegodzien posiadania przyjaciół.

19

Pani domu powinna zawsze się upewnić, że kawa jest wyborna; pan domu – że likiery są najpierwszej jakości.

20

Zaprosić kogoś – znaczy mieć na względzie jego szczęście przez cały czas, gdy jest pod naszym dachem.

Przedmowa

Aby przedłożyć publiczności dziełko, które polecam jej łaskawym względom, nie musiałem się za bardzo natrudzić; ułożyłem tylko w porządku materiały od dawna zgromadzone; wdzięczne to zajęcie zachowałem sobie na starość.

Rozpatrując rozkosze stołu pod wszelkimi względami, wcześnie zdołałem zauważyć, że jest to materia godna nie tylko książek kucharskich i że wiele można powiedzieć o funkcjach zasadniczych, stałych i bezpośredni wpływ mających na nasze zdrowie, szczęście, a nawet interesy.

Skoro raz powziąłem tę myśl przewodnią, wszystko inne z niej poszło; rozejrzałem się wokół, poczyniłem notatki i często, pośród najwspanialszych uczt, przyjemność obserwacji ratowała mnie od nudnego sąsiedztwa.

Nie powiem, że dla wypełnienia zadania, jakie sobie postawiłem, nie należałoby być fizykiem, chemikiem, fizjologiem, a nawet po trosze erudytą. Poczyniłem wszakże moje studia, nie mając pretensji, że stanę się przez to pisarzem; powodowała mną chwalebna ciekawość, lęk, bym nie pozostał w tyle za moją epoką, i pragnienie, bym mógł bez niższości rozmawiać z uczonymi, których towarzystwo zawsze lubiłem.

Nade wszystko jestem medykiem-amatorem; to wręcz moja mania i do najpiękniejszych dni w życiu zaliczam ten, kiedy wraz z profesorami i przez drzwi dla nich przeznaczone wszedłszy do amfiteatru, gdzie miała się odbyć dysputa nad tezą doktora Cloquet, z przyjemnością usłyszałem szepty pełne zaciekawienia: to studenci zapytywali się wzajem, kim też mógłby być ów potężny, a nieznany protektor, co zaszczyca zebranie swoją obecnością.

Ale pamięć innego jeszcze dnia jest mi równie droga: tego mianowicie, kiedy na radzie zarządu Towarzystwa Zachęty do Rozwoju Narodowej Industrii przedstawiłem przyrząd mego pomysłu, i r o r a t o r, to jest fontannę pod ciśnieniem, przeznaczoną do perfumowania apartamentów.

Przyniosłem w kieszeni moją machinkę tęgo naładowaną; obróciłem kurek i pachnąca para, z gwizdem ulatując z jej wnętrza aż pod sufit, w kropelkach jęła opadać na osoby i papiery.

Wówczas z niewypowiedzianą rozkoszą ujrzałem, jak najuczeńsze głowy stolicy pochylają się pod moją i r o r a c j ą, i nie posiadałem się z radości widząc, że najbardziej pokropieni mieli miny najbardziej szczęśliwe.

Myśląc niekiedy o poważnych elukubracjach, jakie pociąga za sobą rozległość mego przedmiotu, doznawałem niekłamanego lęku, że mogę zanudzić, bo też i ja ziewałem nieraz nad pracami innych.

Uczyniłem wszystko, co było w mojej mocy, by nie zasłużyć na taki zarzut; dotknąłem zaledwie tematów sprzyjających nudzie; usiałem moje dziełko anegdotami, których część pochodzi ode mnie samego; pozostawiłem na uboczu znaczną liczbę faktów nadzwyczajnych i osobliwych, które zdrowy rozum winien odrzucić; z czujną uwagą starałem się ujaśnić i spopularyzować pewne nauki, które uczeni zachowują li tylko dla siebie. Jeśli, mimo tylu wysiłków, nie zdołałem dać czytelnikom łatwo dostępnej wiedzy, nie zmąci to mego snu, albowiem żywię pewność, że większość rozgrzeszy mnie, widząc moje dobre chęci.

Można by mi jeszcze zarzucić, że czasem zbyt ponosi mnie pióro i że opowiadając popadam trochę w gadulstwo. Wszelako, czy moja wina, żem stary? Czy moja wina, że jestem jak Ulisses, co widział obyczaje i miasta wielu ludów? Czy należy mnie tedy ganić, że po trosze zająłem się własną biografią? Przecież czytelnik winien mi wdzięczność, że mu oszczędziłem moich *Pamiętników politycznych*, które musiałby czytać jak tyle innych, skoro od trzydziestu sześciu lat miejsce moje w pierwszych lożach pozwala mi oglądać ludzi i wydarzenia.

Nade wszystko zaś nie należy mnie zaliczać do kompilatorów, gdybym miał się ograniczyć do kompilacji, pióro moje spoczywałoby w spokoju, a życie nie było mniej szczęśliwe.

Powiedziałem jak Juwenal:

Semper ego auditor tantum! Nunquamne reponam![1]

Ci zaś, co się na tym znają, zobaczą łatwo, że jednako przyzwyczajony do zgiełku salonów i ciszy gabinetu, dobrze uczyniłem z obu czerpiąc korzyści.

Niemało uczyniłem na koniec dla własnej satysfakcji; wymieniłem nazwiska wielu przyjaciół, którzy zgoła się tego nie spodziewali, przytoczyłem kilka wdzięcznych wspomnień, utrwaliłem inne, które mógłbym zapomnieć i, jak to się mówi, połknąłem haczyk.

Może znajdzie się jakiś czytelnik, z tych, co szukają dziury w całym, i zawoła: „Ależ ja muszę wiedzieć, czy... O czym autor myśli, mówiąc, że... etc., etc.". Jestem wszelako pewien, że wszyscy inni zmuszą go do milczenia, a przytłaczająca większość przyjmie z dobrocią te wynurzenia płynące z chwalebnego zamiaru.

Trzeba mi jeszcze powiedzieć kilka słów o moim stylu, albowiem styl to cały człowiek, jak rzecze Buffon.

Niechaj nikt nie myśli, że żądam pobłażliwości; nie udziela się jej nigdy tym, którym jej trzeba; chodzi o zwykłe wyjaśnienie.

Powinienem pisać znakomicie, skoro Voltaire, Jan-Jakub, Fenelon, Buffon, a potem Cochin i d'Aguesseau są moimi ulubionymi autorami i znam ich na pamięć.

Ale może bogowie postanowili inaczej; a jeśli tak, oto przyczyna woli bogów:

Znam mniej więcej dobrze pięć żywych języków, co daje mi ogromny zasób słów o wszelakim zasięgu.

Kiedy szukam jakiegoś zwrotu i nie znajduję go w przegródce francuskiej, sięgam do przegródki sąsiedniej; stąd czytelnik musi albo mnie tłumaczyć, albo odgadywać: taki jego los.

---

[1] Zawsze mam tylko słuchać! Nigdy nie odpalę! (Cytaty z łaciny przełożył J. Sękowski).

Mógłbym postąpić inaczej, ale moja systematyczność nie pozwala mi na to; w tym względzie nie uznaję żadnych ustępstw.

Jestem głęboko przekonany, że język francuski, którym się posługuję, jest stosunkowo ubogi. Co robić w takim przypadku? Trzeba pożyczać albo kraść.

Robię jedno i drugie, ponieważ takie pożyczki nie podlegają zwrotom, a kradzież słów kodeksowi karnemu.

Można powziąć wyobrażenie o moim zuchwalstwie, jeśli powiem, że określam słowem *volante* (z hiszpańskiego) każdą osobę, którą wyprawiam z jakimś zleceniem; że musiałem zromanizować angielski czasownik *to sip*, co znaczy pić małymi łykami, że odgrzebałem francuski *siroter*, któremu przydawano mniej więcej to samo znaczenie.

Spodziewam się, że srodzy sędziowie zaczną powoływać się na Bossueta, Fénelona, Racine'a, Boileau, Pascala i innych pisarzy z wieku Ludwika XIV; już słyszę straszny krzyk, który podnoszą.

Na co odpowiadam statecznie, że jestem daleki od niedoceniania autorów tak wymienionych, jak pominiętych; ale cóż z tego wynika?... Nic albo chyba tylko to, że osiągnąwszy dobry rezultat przy użyciu niewdzięcznego instrumentu, osiągnęliby nieporównanie lepszy, mając instrument szlachetniejszy. Tak więc należałoby mniemać, że Tartini grałby jeszcze lepiej na skrzypcach, gdyby miał smyczek takiej długości, jak Baillot!

Jestem więc stronnikiem n e o l o g ó w, a nawet r o m a n t y-k ó w; ci ostatni odkrywają ukryte skarby; inni są jak żeglarze, co wyprawiają się daleko po potrzebne im zapasy.

Ludy Północy, a zwłaszcza Anglicy, mają nad nami pod tym względem ogromną przewagę; geniuszowi nigdy nie staje na przeszkodzie słowo: tworzy je albo zapożycza. Toteż wszędzie tam, gdzie rzecz domaga się głębi i siły, nasi tłumacze zdolni są tylko do bladych i bezbarwnych imitacji.

Słyszałem ongi w Instytucie bardzo wdzięczny dyskurs o niebezpieczeństwie neologizmów i konieczności trzymania się naszego języka w tej jego postaci, jaką ustalili autorzy wielkiego wieku.

Niby chemik przepuściłem ten wywód przez retortę i pozostało z niej tylko tyle: To, co zrobiliśmy, jest tak dobre, że niepodobna zrobić lepiej ani inaczej.

Ja wszakże żyłem dość długo, by wiedzieć, że każde pokolenie tak mówi, a każde następne sobie z tego pokpiwa.

Zresztą, jak słowa mogłyby się nie zmieniać, skoro obyczaje i idee podlegają ciągłym zmianom? Jeśli czynimy to samo co starożytni, to nie w taki sam sposób, i w pewnych książkach francuskich są całe stronice, których nie dałoby się przełożyć ani na łacinę, ani na grekę.

Wszystkie języki miały swój początek, swoje apogeum i swój zmierzch; i żaden z tych, co lśniły blaskiem od czasów Sezostrisa aż po Filipa Augusta, nie przetrwał inaczej jak tylko w zabytkach. Język francuski spotka ten sam los i w roku 2825 mój czytelnik nie obejdzie się bez pomocy słownika, jeśli w ogóle będę czytany...

Miałem na ten temat dysputę przy wymianie ostrych strzałów z wielce łaskawym panem Andrieux z Akademii Francuskiej.

Stawiłem się gotów do boju, zaatakowałem z werwą; i odniósłbym zwycięstwo, gdyby przeciwnik szybko się nie wycofał, czemu nie przeszkadzałem zbytnio, wspomniawszy – na szczęście dla niego – że jest autorem haseł w nowym słowniku.

Kończę uwagą ważną i dlatego zachowałem ją na ostatek.

Kiedy piszę i mówię ja w liczbie pojedynczej, oznacza to rozmowę z czytelnikiem; może zastanawiać się, dyskutować, wątpić, a nawet śmiać się. Ale kiedy zbroję się w niebezpieczne m y, pouczam; trzeba się podporządkować.

I am Sir Oracle,
And, when I open my lips, let no dog bark
(Shakespeare, *Marchant of Venice, I, 1*)[2]

---

[2] ...Jam jest pan Wyrocznia,
A gdy ja mówię, niech i pies nie szczeka.
(*Kupiec wenecki*, tłum. Z. Ulrich.)

O gastronomii

Nauki nie są jak Minerwa, która w pełnym uzbrojeniu wyszła z głowy Jowisza; są one dziećmi czasu i kształtują się niepostrzeżenie, najpierw gromadząc metody wskazane przez doświadczenia, potem odkrywając zasady, które dają się wywieść z kombinacji tych metod.

Tak więc owi pierwsi starcy, którzy swej roztropności zawdzięczali, że wzywano ich do łoża chorych, i litościwie opatrywali rannych, byli pierwszymi lekarzami.

Pasterze egipscy, którzy zaobserwowali, że pewne gwiazdy w pewnych okresach czasu pojawiają się w tej samej okolicy nieba, byli pierwszymi astronomami.

Ten, co pierwszy zapisał proste zdanie: d w a p l u s d w a r ó w n a s i ę c z t e r y, stworzył matematykę, tę potężną wiedzę, która zaiste wzniosła człowieka na tron świata.

W ciągu ostatnich sześćdziesięciu lat wiele nowych nauk zajęło miejsce w systemie naszej wiedzy, między innymi stereotomia, geometria opisowa i chemia gazowa.

Wszystkie te nauki uprawiane przez niezliczone pokolenia czynią postępy tym pewniejsze, że sztuka drukarska chroni je od zapomnienia. Kto wie na przykład, czy chemia gazowa nie dojdzie do opanowania elementów dotąd tak opornych, przemieszania ich, połączenia w proporcjach jeszcze nie znanych i tą drogą nie uzyska substancji i rezultatów, które znacznie poszerzą granice naszego władania.

Z kolei pojawiła się gastronomia i wszystkie jej siostry zacieśniły krąg, żeby uczynić miejsce dla niej.

O, bo też czego można odmówić tej, co podtrzymuje nas od urodzenia do grobu, przyczynia

rozkoszy miłości i pogłębia ufną przyjaźń, rozbraja nienawiść, ułatwia interesy i w krótkim naszym życiu daje jedyną przyjemność, po której nie tylko nie przychodzi znużenie, ale która nas od wszelkiego uwalnia!

Zapewne, jak długo wykonanie było wyłącznie sprawą płatnej służby, a jego sekrety pozostawały w suterenach, jak długo kucharze tylko byli znawcami w tej materii, a jedynymi księgami zbiory przepisów, rezultatem mogła być jedynie praktyczna umiejętność.

Na koniec jednak, może zbyt późno, pojawili się uczeni.

Zbadali, przeanalizowali i sklasyfikowali substancje pokarmów i sprowadzili je do składników pierwszych.

Przestudiowali tajemnice przyswajania i obserwując przemiany bezwładnej materii, stwierdzili, w jaki sposób nabiera ona życia.

Rozpatrzyli dietę w jej działaniu chwilowym lub trwałym, jej wpływ na czas jakiś lub całe życie.

Ocenili ten wpływ na zdolność myślenia, czy to w sytuacji, kiedy zmysły oddziałują na duszę, czy wówczas, kiedy jest ona pozbawiona ich pomocy; i z prac tych wywiedli wysokiego lotu teorię, dotyczącą człowieka oraz wszystkich istnień w naturze, które przyjmują pokarmy.

Gdy te kwestie były rozważane w gabinetach uczonych, w salonach mówiono głośno, że nauka, która żywi człowieka, warta co najmniej jest tej, która uczy go zabijać; poeci opiewali rozkosze stołu, w książkach zaś traktujących o zacnym jadle pojawiły się poglądy bardziej pogłębione i sentencje o ogólniejszym znaczeniu.

Takie to okoliczności poprzedziły przyjście gastronomii.

Rozmaite przedmioty, którymi zajmuje się gastronomia

Gastronomia rozpatruje smak tak samo w tym, co jest źródłem przyjemności, jak i cierpienia; odkrywa stopniowo podniety, którym smak podlega; reguluje ich działanie i ustanawia granice, których szanujący się człowiek nie powinien nigdy przekroczyć.

Rozpatruje również działanie pokarmów na postawę moralną człowieka, na jego wyobraźnię, dowcip, sąd, odwagę i percepcję – na jawie i we śnie, w działaniu i w odpoczynku.

Gastronomia ustala punkt, w którym staje się smakowita każda substancja pokarmowa; nie wszystkich bowiem wolno używać w tych samych okolicznościach.

Jedne należy spożywać, zanim osiągną pełny rozwój, jak kapary, szparagi, prosięta, gołąbki jadal-

ne oraz inne zwierzęta czy ptactwo, które zjada się w ich dziecięctwie; inne w momencie, kiedy doszły do przeznaczonej im dojrzałości, jak melony, większość owoców, barana, wołu i wszystkie zwierzęta dorosłe; jeszcze inne, kiedy zaczynają się rozkładać, jako to niesplik, bekas, a zwłaszcza bażant; jeszcze inne na koniec, kiedy sztuka odjęła im jakości szkodliwe, na przykład ziemniaki, maniok i tak dalej.

Gastronomia klasyfikuje te substancje wedle ich rozmaitych cech, wskazuje te, które można łączyć i biorąc pod uwagę rozmaite stopnie ich pożywności, odróżnia takie, które winny być podstawą naszych posiłków, od innych stanowiących tylko ich dopełnienie, oraz jeszcze innych, zgoła niekoniecznych, ale przyjemnych, wskutek czego stają się one niezbędnym dodatkiem przy biesiadnym stole.

Z nie mniejszym zainteresowaniem gastronomia zajmuje się napojami, które są nam przeznaczone zależnie od czasu, miejsca i klimatu. Uczy, jak je przygotowywać, przechowywać, a zwłaszcza podawać w porządku tak obliczonym, aby przyjem-

ność z nich płynąca stale rosła, aż do momentu, kiedy kończy się ona, a zaczyna nadużycie.

Gastronomia ma pieczę nad ludźmi i rzeczami wówczas, gdy idzie o przewiezienie z jednego kraju do innego tego, co warte poznania; ona to sprawia, ze uczta umiejętnie ułożona jest jakby przeglądem całego świata: każda jego część ma w niej swoich przedstawicieli.

O pożytku z wiedzy gastronomicznej

Wiedza gastronomiczna jest niezbędna dla wszystkich ludzi, skoro to ona usiłuje powiększyć sumę przeznaczonych im przyjemności; pożytek z niej większym będzie dla najzamożniejszych klas społecznych; nie obejdą się bez tej wiedzy ci, co rozporządzając wielką fortuną, prowadzą dom otwarty, czy to z koniecznych względów reprezentacyjnych, czy ze skłonności, czy idąc wreszcie za modą.

Ta wiedza daje im szczególną wyższość, ile że pewien akcent osobisty jest w sposobie, w jaki podejmują przy stole; do pewnego punktu mogą mieć wgląd w to, co powierzyli swoim ludziom, a nawet mogą nimi kierować w wielu okazjach.

Książę de Soubise pewnego razu chciał wydać fetę; miała się ona zakończyć kolacją, której jadłospisu zażądał.

Ochmistrz zjawia się u księcia przy jego porannym wstawaniu i przedkłada mu piękną kartę zdobną w winiety; pierwszy punkt, na który pada wzrok księcia, głosi: pięćdziesiąt szynek.

– Ejże, Bertrand – rzecze pan – zdaje się, że przesadzasz; pięćdziesiąt szynek! Cóż to, chcesz uraczyć cały mój regiment?

– Nie, jaśnie książę; jedna tylko szynka przeznaczona jest na stół, ale reszta jest mi niezbędna do ekstraktów, z których uczynię sosy do rosołów, których użyję do przypraw, do garniturów, do...

– Okradasz mnie, Bertrand, nie przystanę na to.

– Ach, wasza książęca mość – mówi artysta, ledwie powstrzymując gniew – nie znasz naszych sposobów. Rozkaż, a pięćdziesiąt szynek, które tak cię gniewają, zmieszczę w kryształowym flakoniku wielkości małego palca.

Co rzec na oświadczenie tak autorytatywne? Książę uśmiechnął się, skinął głową i rzecz została załatwiona.

Wiadomo, że ludzie bliscy natury żadnej ważnej sprawy nie załatwiają inaczej, jak przy jedzeniu; dzicy podczas uczt postanawiają o wojnie albo o pokoju; a nie idąc tak daleko, możemy zauważyć, że wieśniacy wszelki interes ubijają w karczmie.

Wpływ gastronomii na interesy

Ten fakt nie uszedł uwagi tych, którym często przychodzi omawiać ważne sprawy; stwierdzili, że człowiek syty i głodny to dwaj inni ludzie; że stół

jedna tego, co gości, i na interesy tego, co jest goszczony; że biesiadnicy bardziej są podatni na pewne wrażenia, na pewne wpływy; stąd narodziny gastronomii politycznej. Posiłki stały się środkiem, którym posługują się rządy, decyzje o losach ludów zapadają przy bankietach. Ani to paradoks, ani nawet nowość, ale zwykłe stwierdzenie faktu. Otwórzmy książki historyków, od Herodota aż do naszych czasów, a zobaczymy – nie pomijając nawet spisków – że nie było tak wielkiego wydarzenia, które nie zostałoby obmyślane, przygotowane i ułożone podczas uczty.

Akademia gastronomów

Oto dziedzina gastronomii, od razu widoczna, dziedzina płodna we wszelkie rezultaty, którą poszerzyć mogą odkrycia i prace jej uczonych; niepodobna bowiem, aby upłynęło jeszcze kilka lat i gastronomia nie miała swoich akademików, swoich profesorów i swoich propozycji nagród.

Najsampierw gastronom zamożny, a gorliwy, w stałych odstępach czasu będzie organizował u siebie zebrania, gdzie najbardziej uczeni teoretycy spotkają się z artystami, aby omawiać i pogłębiać rozmaite kwestie dotyczące nauki o pokarmach.

Wkrótce (bo tak dzieje się ze wszystkimi akademiami) rząd zajmie się tą sprawą; wprowadzi ład, zapewni ochronę, stworzy instytucję i skorzysta z okazji, by wynagrodzić naród za wszystkie ofiary armat, za wszystkie Ariadny, którym przyszło opłakiwać wojenne werble.

Szczęśliwy ów depozytariusz władzy, którego imię zostanie złączone z przedsięwzięciem tak niezbędnym! Będą je powtarzać wieki wraz z imionami Noego, Bachusa, Triptolemosa i innych dobroczyńców ludzkości; wśród ministrów stanie się tym, czym Henryk IV wśród królów, i chwałę jego głosić będą wszystkie usta bez rozkazu i przymusu.

O apetycie

Ruch i życie sprawiają, że żywe ciało wciąż traci na substancji; ciało ludzkie, ta machina tak złożona, wkrótce nie nadawałoby się do użytku, gdyby Opatrzność nie umieściła w nim czegoś, co daje znać o sobie w chwili, kiedy równowaga pomiędzy siłami a potrzebami zostaje zachwiana.

Tym monitorem jest apetyt. Przez słowo to rozumiemy pierwsze odczucie potrzeby jedzenia.

Zapowiedzią apetytu jest niejaka omdlałość żołądka i lekkie zmęczenie.

Jednocześnie dusza kieruje swoje zainteresowanie ku temu, co ma podobieństwo do jej potrzeb; pamięć przypomina sobie rzeczy, które pieściły smak; imaginacja zdaje się je widzieć; jest w tym coś z marzenia sennego. Stan taki nie pozbawiony jest uroku; i słyszeliśmy, jak tysiące adeptów wołało w radości serca: „Cóż to za przyjemność mieć dobry apetyt, gdy niezawodnie czeka nas wyborny posiłek!"

Tymczasem narządy trawienne są już w gotowości; żołądek się uczula; soki gastryczne się burzą; gazy wewnętrzne przemieszczają się z hałasem; usta napełnia ślina i wszystkie siły trawienne są pod bronią niby żołnierze czekający tylko na rozkaz, by przystąpić do działania. Jeszcze kilka chwil, a pojawią się skurcze, zaczniemy ziewać, cierpieć, odczuwać głód.

Wszystkie odcienie tych rozmaitych stanów można zaobserwować w salonie, gdzie towarzystwo czeka na obiad.

Stany te tak bardzo są naturalne, że najwyborniejsza grzeczność nie skryje ich objawów; z czego wywodzę krótkie stwierdzenie: Ze wszystkich zalet kucharza najważniejsza jest punktualność.

Anegdota   Poparciem dla tej poważnej maksymy będą szczegóły obserwacji poczynionych w pewnym towarzystwie, gdzie się znalazłem,

Quorum pars magna fui[3],

a przyjemność z nich płynąca wybawiła mnie od przykrych lęków.

Pewnego razu zostałem zaproszony na obiad do pewnej osobistości piastującej wysokie stanowisko publiczne. Zaproszenie opiewało na piątą trzydzieści i o wyznaczonej porze wszyscy byli na miejscu; wiadomo było, że gospodarz lubi punktualność i sarka niekiedy na opieszalców.

Gdym tylko wszedł, uderzyła mnie konsternacja zebranych; szeptano sobie na ucho, wyglądano na dziedziniec przez okno; na kilku twarzach malował się wyraz osłupienia. Na pewno zdarzyło się coś niezwykłego.

Podszedłem do jednego z gości, który, jak sądziłem, najlepiej mógł zaspokoić moją ciekawość i zapytałem go, w czym rzecz.

– Niestety! – odrzekł z akcentem głębokiego przygnębienia – Jego Wysokość został wezwany na Radę Stanu; właśnie odjeżdża i kto wie, kiedy wróci.

– Więc tylko tyle? – odparłem z beztroską, której zgoła nie miałem w sercu. – Toż to sprawa najwyżej kwadransa; idzie zapewne o jakieś informacje; wiadomo, że wydaje dziś obiad oficjalny; żadnego powodu, żeby trzymać nas tu o głodzie.

Tak mówiłem, ale w głębi duszy czułem niepokój i rad byłbym znajdować się całkiem gdzie indziej.

Pierwsza godzina minęła gładko, znajomi usadowili się w pobliżu znajomych; wyczerpano już

---

[3] W których brałem żywy udział (Wergiliusz).

banalne tematy konwersacji i próbowano dojść przyczyny wezwania do Tuilerii naszego drogiego amfitriona.

W drugiej godzinie można było zauważyć pewne oznaki zniecierpliwienia: ludzie spoglądali po sobie z niepokojem i ci, którzy nie znaleźli miejsc siedzących i znajdowali się w pozycji niewygodnej do czekania, pierwsi zaczęli szemrać.

W trzeciej godzinie niezadowolenie stało się powszechne i wszyscy zaczęli utyskiwać.

– Kiedyż powróci? – mówił jeden.

– Co sobie myśli? – mówił drugi.

– To straszne! – wtrącał trzeci.

I wszyscy zadawali sobie pytanie, na które nikt nie miał odpowiedzi: Zostać? Nie zostać?

W czwartej godzinie nastąpiło wyraźne pogorszenie: gestykulacja jednych groziła utratą oka innym; ze wszystkich stron rozlegało się śpiewne ziewanie; na wszystkie twarze wystąpił kolor zapowiadający słabość; i nikt mnie nie słuchał, kiedy odważyłem się powiedzieć, że ten, czyja nieobecność tak nas zasmuca, jest bez wątpienia najnieszczęśliwszym ze wszystkich.

Pewne oznajmienie przerwało na chwilę czekanie. Jeden z gości, bardziej bywały w tym domu od innych, przedarł się aż do kuchen; powrócił ledwie dysząc: jego oblicze zapowiadało koniec świata i głosem ledwie zdolnym do mowy, tonem głuchym, w którym kryje się tak samo lęk przed uczynieniem hałasu, jak i pragnienie, by zostać usłyszanym, oświadczył:

– Jego Wysokość odjechał, nie wydając poleceń i jakkolwiek długo trwałaby jego nieobecność, nie zaczną podawać, póki nie wróci.

Rzekł i przerażenie, jakie wywarły jego słowa, nie byłoby większe, gdyby zagrzmiała trąba Sądu Ostatecznego.

Wśród tych wszystkich męczenników najnieszczęśliwszy był zacny d'Aigrefeuille, którego zna cały Paryż; jego ciało było samym bólem i męka Laokoona malowała się na jego twarzy. Blady, z błędnym okiem, nic nie widząc, opadł na fotel, skrzyżował małe rączki na wielkim brzuchu i zamknął oczy nie po to, by zasnąć, lecz żeby czekać na śmierć.

A jednak śmierć nie nadeszła. Około dziesiątej usłyszeliśmy odgłos karocy na dziedzińcu; wszyscy zerwali się z miejsc w zgodnym odruchu. Wesołość zastąpiła smutek i w pięć minut później byliśmy przy stole.

Ale czas apetytu minął. Na twarzach widać było zdumienie, że obiad zaczyna się o tak niestosownej

porze; szczęki nie poruszały się w miarowym ryt-
mie, który oznajmia regularną pracę; i widziałem,
że wielu biesiadników nie czuje się najlepiej.

W podobnym wypadku wskazane jest nie zabie-
rać się do jedzenia, ledwie została usunięta prze-
szkoda; należy wypić szklankę osłodzonej wody
albo filiżankę bulionu, aby pocieszyć żołądek; za
czym poczekać dwanaście albo piętnaście minut,
w przeciwnym bowiem razie skurczony organ znajdzie się w opresji, nie mogąc podołać przeładowa-
niu pokarmem.

Kiedy czyta się w dawnych książkach o przygo-
towaniach, jakie czyniono, aby ugościć kilka osób,
i o ogromnych porcjach przeznaczonych dla każdej
z nich, trudno oprzeć się mniemaniu, że ludzie bliż-
si od nas czasom, gdy świat był jeszcze w kołysce,
cieszyli się nieporównanie potężniejszym apetytem.

Ten apetyt tym rzekomo był większy, im większe
dostojeństwo osoby; ten zaś, komu podawano cały
tylec pięcioletniego byka, pić musiał z pucharu,
który ledwie mógł unieść.

Trafiały się i potem indywidua, dające świadectwo temu, co działo się ongi, i księgi pełne są
przykładów żarłoczności wprost niewiarogodnej,
która rozciągała się na wszystko, nie pomijając największych obrzydliwości.

Oszczędzę moim czytelnikom tych szczegółów
odrażających nieraz, wolę im opowiedzieć dwa
osobliwe wydarzenia, których byłem świadkiem,
nie żądając od nich ślepej wiary.

Przed mniej więcej czterdziestu laty byłem
z przelotną wizytą u księdza de Bregnier, człowieka potężnej tuszy, którego apetyt cieszył się wielką sławą.

Choć zaledwie było południe, zastałem go przy
stole. Podano zupę i mięso z rosołu; po tych dwóch

obowiązkowych daniach pojawił się udziec barani po królewsku, wcale piękny kapłon i obfita sałata.

Na mój widok ksiądz natychmiast zażądał dla mnie nakrycia, ale wymówiłem się i zrobiłem dobrze; albowiem sam i bez niczyjej pomocy gładko dał radę wszystkiemu, to znaczy, zjadł udziec aż do szpiku, kapłona aż do kości i sałatę do ostatniego listka.

Wkrótce wniesiono dość wielki biały ser, w którym on uczynił wyłom, odcinając trójkąt prostokątny; a wszystko to zakropił butelką wina i karafką wody, za czym rzecz zakończył.

Przyjemnie mi było, gdym widział, że podczas całej tej operacji, trwającej mniej więcej trzy kwadranse, czcigodny kapłan zgoła nie miał zaaferowanej miny. Ogromne kęsy, które wrzucał do przepastnych ust, nie przeszkadzały mu ani rozmawiać, ani śmiać się; i zjadł wszystko, co mu podano, tak samo zwyczajnie, jakby to były trzy skowronki.

Podobnie generał Bisson; do śniadania wypijał co dzień osiem butelek wina, a wyglądał, jakby ich nie tknął; miał szklankę większą niż inni i wychylał ją częściej; ale powiedziałbyś, że nie przywiązuje do tego żadnej wagi i, wlewając w siebie szesnaście funtów płynu, z równą swobodą żartował i wydawał rozkazy, jakby to była mała karafka.

Druga historyjka przypomina mi dzielnego generała Prospera Sibuet, mego ziomka; przez długi czas był adiutantem generała Masseny i zginął na polu chwały w 1813 roku, przy przejściu przez rzekę Bóbr.

Prosper miał dwadzieścia osiem lat i cieszył się tym szczęśliwym apetytem, który natura daje ludziom tęgiej konstytucji, kiedy pewnego razu zaszedł do oberży Genina, gdzie zazwyczaj spotykali się znajomkowie z Belley, by uraczyć się kasztanami i młodym białym winem, zwanym *vin bourru*.

Właśnie zdjęto z rożna wspaniałego indyka, pięknego, kształtnego, złocistego, upieczonego w sam raz, którego zapach skusiłby świętego.

Bywalcy, którzy nie byli głodni, nie zwrócili na to uwagi; lecz młody Prosper poczuł się wstrząśnięty do trzewi; ślinka napłynęła mu do ust i zawołał:

– Dopiero co wstałem od stołu, ale idę o zakład, że sam jeden zjem tego wielkiego indyka.

– Jeśli go pan zje, płacę – rzecze Bouvier z Bouchet, tęgi wieśniak, który był przy tym – wszelako gdybyś utknął wpół drogi, płacisz pan, a ja zjadam resztę.

Natychmiast przystąpiono do rzeczy. Młody atleta starannie odciął skrzydło i pierś, połknął je w dwóch kęsach, za czym przepłukał sobie zęby, wysysając gardło ptaka i, pauzując, wypił szklankę wina.

Z kolei zaatakował nogę, zjadł ją z równym spokojem i wychylił drugą szklankę wina, żeby przygotować drogę dla reszty.

Drugie skrzydło i pierś spotkał ten sam los; kiedy znikły, a celebrant wciąż bardziej ożywiony pochwycił ostatnią ćwiartkę, nieszczęsny wieśniak zawołał żałosnym głosem:

– Aj! widzę, że to koniec; ale skoro mam już płacić, zacny panie, zostawże dla mnie choć kawałek.

Prosper był równie poczciwym chłopcem wówczas, jak dobrym żołnierzem potem; przystał na prośbę swego adwersarza, któremu przypadł w udziale szkielet ptaka, wcale jeszcze niezgorszy, i bez ociągania się zapłacił za główne danie i niezbędne dodatki.

Generał Sibuet lubił opowiadać o tym bohaterskim czynie z czasów młodości; dodawał, że dopuścił do udziału wieśniaka z czystej kurtuazji; zapewniał, że i bez tej pomocy dość miał sił, by wygrać zakład; zaś apetyt, jakim się cieszył, mając lat czterdzieści, nie pozwalał wątpić o prawdzie jego słów.

O pokarmach w ogóle

Specjalności

Kiedy zabrałem się do pisania, wszystkie materiały miałem przygotowane, a całą książkę ułożoną w głowie; mimo to posuwałem się wolno, ponieważ część mego czasu poświęcam sprawom bardziej poważnym.

Tymczasem dotknięto kilku kwestii z zakresu, który uważałem za moją domenę; elementarne książki z dziedziny chemii i medycyny znalazły się we wszystkich rękach; tematy, które w moim mniemaniu poruszałem po raz pierwszy, stały się popularne: na przykład chemii sztuki mięsa w rosole poświęciłem wiele stronic; istotę tych wywodów można znaleźć w kilku książkach ostatnio ogłoszonych.

W konsekwencji musiałem przejrzeć na nowo tę część mego dzieła i skróciłem ją tak bardzo, że obecnie ogranicza się ona do kilku zasad elementarnych, do teorii, które najszerzej winny być rozpowszechnione, oraz do kilku obserwacji, owocu długiego doświadczenia; mam nadzieję, że będzie to nowość dla wielu moich czytelników.

I.
Sztuka mięsa w rosole, zupa i inne

Sztuką mięsa w rosole nazywamy kawałek wołowiny, który wkłada się do lekko osolonej wrzącej wody, aby powstał ekstrakt ze składników rozpuszczalnych.

Rosół jest płynem, który otrzymujemy po dokonanym zabiegu.

Sztuką mięsa jest natomiast wołowina pozbawiona składników rozpuszczalnych.

Woda rozpuszcza wpierw część osmazomu; następnie albumin, który ścinając się poniżej 50 stopni Réaumura, tworzy pianę, usuwaną zazwyczaj; za czym pozostały osmazom wraz z sokiem; wreszcie nieco osłony włókien, które oderwały się podczas wrzenia.

Ażeby otrzymać dobry rosół, trzeba wodę ogrzewać powoli, by albumin nie ściął się wewnątrz;

proces wrzenia powinien być ledwo dostrzegalny, w ten sposób bowiem rozmaite składniki, które rozpuściły się stopniowo, mogą się połączyć ściśle i bez przeszkód,

Do rosołu dodaje się jarzyny albo korzenie dla zaostrzenia smaku oraz chleb czy makaron, aby był bardziej pożywny; taki rosół nazywa się zupą.

Zupa jest pożywieniem zdrowym, lekkim, sycącym i stosownym dla wszystkich; działa korzystnie na żołądek i przysposabia go do przyjęcia innych potraw oraz do trawienia. Osoby, którym zagraża opasłość, powinny spożywać rosół bez żadnych dodatków.

Panuje powszechne mniemanie, że tak dobrej zupy jak we Francji nie jada się nigdzie; podróżując mogłem się przekonać o tej prawdzie. Nic w tym dziwnego: zupa jest podstawą narodowego posiłku francuskiego i doświadczenie wieków musiało doprowadzić ją do perfekcji.

Sztuka mięsa jest pożywieniem zdrowym, które szybko zaspokaja głód i jest dosyć strawne, lecz sama tylko nie krzepi dostatecznie, ponieważ mięso podczas gotowania utraciło część soków przyswajalnych.

II.
Sztuka
mięsa?

Uważa się za regułę generalną i uznaną, że gotowana wołowina traci połowę swej wagi.

Osoby, które spożywają sztukę mięsa, dzielimy na cztery kategorie:

do pierwszej należą ci, co jedzą sztukę mięsa, bo jedli ją ich rodzice, a idąc ze ślepym posłuszeństwem w ich ślady, mają nadzieję, że nie inaczej postąpią własne ich dzieci;

do drugiej ludzie niecierpliwi, którzy, nie znosząc bezczynności przy stole, nawykli rzucać się na pierwszą rzecz podaną (*materia subiecta*);

do trzeciej ludzie nieuważni, którzy nie obdarzeni przez niebo świętym ogniem traktują czas

posiłku jak czas przymusowej pracy, nie czynią róż-
nicy między potrawami i są przy stole niby ostryga
w ławicy;

do czwartej ludzie żarłoczni, o apetytach, których rozmiary chcieliby ukryć; toteż z pośpiechem
wrzucają do żołądka, co popadnie, aby uciszyć
trawiący ich ogień gastryczny i wymościć drogę dla
dalszych dań, które pójdą w tym samym kierunku.

Uczeni znawcy nie jedzą sztuki mięsa z szacunku dla własnych zasad i ponieważ ogłosili z katedr
tę niezaprzeczalną prawdę: Sztuka mięsa jest
mięsem, któremu odjęto sok.

III.
Ptactwo
domowe

Jestem wielkim zwolennikiem dań wtórych i żywię niezachwiane przekonanie, że rodzaj kuraków
został stworzony jedynie po to, by wyposażyć nasze
spiżarnie i wzbogacić nasze uczty.

Bo też w samej rzeczy, od przepiórki do indyka,
wszędzie, gdzie tylko trafi się okaz z tej licznej rodziny, można być pewnym, że oto mamy pożywienie lekkie, smakowite, odpowiednie tak samo dla
rekonwalescenta, jak dla człowieka cieszącego się
najtęższym zdrowiem; któż bowiem spośród nas,
skazany przez medycynę na pożywienie świętych
pustelników, nie uśmiechnął się na widok zgrabnie odciętej piersi kurczęcia oznajmiającej mu, że
wreszcie powraca do życia w społeczeństwie?

Nie poprzestaliśmy na zaletach, jakimi natura
obdarzyła kuraki; sztuka zajęła się nimi i pod pre-
tekstem ulepszenia uczyniła z nich męczenników.
Nie tylko odjęto im możność rozmnażania się, ale
skazano je na samotność, ciemności i przymusy
jedzenia; w taki to sposób dochodzą do tłustości,
która nie była im pisana.

Co prawda, ten tłuszcz przeciwny prawom natury także jest smakowity i właśnie dzięki godnym
potępienia praktykom kuraki zyskują ową delikat-

ność i soczystość, które czynią z nich delicje najlepszych stołów.

Tak oto udoskonalony drób jest dla kuchni tym, czym płótno dla malarza, a dla szarlatanów kapelusz Fortunata; podają nam go gotowany, pieczony, smażony, gorący albo zimny, cały albo w częściach, z sosem lub bez, oczyszczony z kości, obdarty ze skóry, nadziany – i zawsze z równym sukcesem.

Trzy ziemie starej Francji spierają się o honor dostarczania najlepszego drobiu: Caux, Mans i Bresse.

Co się tyczy kapłonów, rzecz jest wątpliwa, i ten, którego mamy na talerzu, winien zdawać się najlepszym; ale w rodzinie pulard pierwszeństwo należy do pochodzących z Bresse, zwanych pulardami delikatnymi, okrągłych niby jabłka; wielka to szkoda, że rzadko trafiają się w Paryżu, dokąd przybywają tylko w koszykach jako dary wotywne.

IV.
Indyk

Indyk jest bez wątpienia najpiękniejszym podarkiem, jaki Nowy Świat ofiarował Staremu.

Ci, co zawsze chcą wiedzieć lepiej od innych, powiadają, że indyka znali Rzymianie, że znalazł się na uczcie weselnej Karola Wielkiego; że opacznie zatem przypisuje się jezuitom zaszczyt sprowadzenia tego smakowitego ptaka.

Tym paradoksom można przeciwstawić dwa argumenty:

po pierwsze, nazwa ptaka świadczy o jego pochodzeniu, ongi bowiem Amerykę nazywano Indiami Zachodnimi;

po wtóre, indyk z wyglądu całkiem jest niepodobny do innych ptaków.

Uczony nie może omylić się w tym względzie.

Wszelako, choć moje przekonanie było niezachwiane, poczyniłem w tym przedmiocie badania dość rozległe, których oszczędzę czytelnikowi, a których rezultat jest następujący:

1. indyk pojawił się w Europie pod koniec siedemnastego wieku;

2. został sprowadzony przez jezuitów, którzy hodowali wielkie ilości tych ptaków, zwłaszcza na folwarku w pobliżu Bourges;

3. stąd indyki rozpowszechniły się z wolna po całej Francji; dlatego w wielu okolicach i mowie potocznej nazywano dawniej indyka jezuitą i robi się to jeszcze teraz;

4. Ameryka jest jedyną ziemią, gdzie trafiono na dzikiego indyka żyjącego w stanie naturalnym (nie istnieje w Afryce);

5. na folwarkach Ameryki Północnej, gdzie indyk jest nader pospolity, ptak ten wykluwa się z jaj podebranych albo wywodzi z młodych indycząt,

które pojmano w lesie i oswojono; dlatego bliższy jest stanu naturalnego i zachowuje najlepiej swoje pierwotne upierzenie.

Upewniony tymi dowodami, mam dla zacnych ojców podwójną wdzięczność, ponieważ sprowadzili oni również chininę, zwaną po angielsku *jesuit's bark* (kora jezuicka).

Te same badania pouczyły mnie, że z biegiem czasu indyk aklimatyzuje się stopniowo we Francji. Od świadomych rzeczy obserwatorów wiem, że w połowie ubiegłego stulecia z dwudziestu wyklutych indyków dziesięć zaledwie mogło się uchować; dziś w takich samych warunkach z dwudziestu można wyhodować piętnaście. Szczególnie groźne są dla nich ulewy i burze. Wielkie krople deszczu miecione przez wiatr godzą w delikatne i nieosłonięte głowy indyków i przywodzą je do zguby.

Przez z w i e r z y n ę rozumiemy jadalne zwierzęta i ptaki, żyjące na polach i w lasach w stanie swobody naturalnej.

Powiadamy: j a d a l n e, ponieważ niektóre z nich nie są zaliczane do zwierzyny, a mianowicie: lisy, borsuki, kruki, sroki, puszczyki i inne; nazywamy je ś m i e r d z i e l a m i.

Zwierzynę dzielimy na trzy rodzaje:

Pierwszy rozpoczyna drozd i znajdują się tu w porządku malejącym wszystkie ptaki niewielkich rozmiarów, zwane ptaszkami.

Drugi rozpoczyna derkacz, za czym w porządku rosnącym idzie bekas, kuropatwa, bażant, królik i zając; jest to zwierzyna we właściwym rozumieniu słowa: zwierzyna ziemna i błotna, pokryta sierścią i piórami.

Trzeci jest znany pod nazwą dziczyzny: są to dzik, sarna i wszystkie widłatonogi.

V.
Zwierzyna

Zwierzyna jest rozkoszą naszych stołów; stanowi pokarm zdrowy, ciepły, luby, o wyrafinowanym smaku i łatwostrawny w tych wszystkich przypadkach, gdy okaz jest młody.

Te zalety wszakże nie są tak dalece właściwe zwierzynie, aby w znacznym stopniu nie zależały od umiejętności tego, co ją przyrządza. Wrzućcie do garnka z wodą sól i kawałek wołowiny, a otrzymacie rosół i sztukę mięsa. Zastąpcie wołowinę mięsem dzika czy sarny, a nie wyjdzie z tego nic dobrego; pod tym względem wszystkie zalety są po stronie mięsa od rzeźnika.

Ale pod kierunkiem kształconego kucharza zwierzyna ulega licznym przemianom i umiejętnym transformacjom, których rezultatem są rozmaite potrawy wybornej jakości, zaliczane do kuchni najwyższego lotu.

Zwierzyna wiele ze swych zalet zawdzięcza naturze ziemi, na której się żywi; smak czerwonej kuropatwy z Périgord nie jest taki sam jak kuropatwy z Sologne; i jeśli zając ubity w okolicach Paryża jest potrawą pozbawioną większego znaczenia, zajączek zrodzony na suchych stokach Valromey albo w górnym Delfinacie ma zapach najwyborniejszy może ze wszystkich czworonogów.

Co się tyczy małych ptaków, to w porządku jakości pierwsze miejsce zajmuje bezsprzecznie figojadka.

Jest to ptaszek nie mniej tłusty od rudzika czy ortolana, natura zaś obdarzyła go ponadto lekką goryczką i aromatem jedynym w swoim rodzaju, a tak wyśmienitym, że staje się rozkoszą i błogosławieństwem dla wszystkich organów smaku. Gdyby figojadka była wielkości bażanta, kosztowałaby na pewno tyle samo co morga ziemi.

Wielka to szkoda, że ptaszek tak uprzywilejowany z rzadka pojawia się w Paryżu: można tu trafić tylko na pojedyncze sztuki, ale brak im tłuszczu, który stanowi o ich wartości; jakoż zaledwie przypominają okazy ze wschodnich i południowych departamentów Francji.

Niewiele ludzi umie jeść małe ptaszki; oto sposób, który przed trzydziestu laty, jako człowiek jeszcze nie znany, zwierzył mi w zaufaniu kanonik Charcot, smakosz urodzony i doskonały gastronom.

Należy wziąć za dziób dobrze tłustego ptaka, posypać go odrobiną soli, usunąć żołądek, zgrabnie włożyć do ust, ugryźć tak, by dziób pozostał

w palcach trzymającej ręki, za czym żuć żwawo: obfity sok napełni wam usta i zaznacie rozkoszy niedostępnej osobnikom pospolitym:

Odi profanum vulgus et arceo.
                                              Horacy

Przepiórka jest pośród dzikiego ptactwa tym, co najmilsze i najrozkoszniejsze. Dobrze tłusta przepiórka raduje smak i cieszy oko swoim kształtem i barwą. Aktem ignorancji jest podać ją inaczej niż pieczoną lub w papilotach, ponieważ zapach przepiórki jest nader ulotny i przy każdym zetknięciu ptaszka z płynem ów zapach ucieka, rozwiewa się i przepada.

Bekas jest również ptakiem godnym uwagi, ale nieliczni tylko znają wszystkie jego uroki. Bekas szczyt chwały osiąga wówczas, gdy pieką go pod okiem myśliwego, takiego zwłaszcza, co go sam upolował; on też zaleca sposób pieczenia i ptak staje się zaiste kąskiem niezrównanym.

Powyżej wymienionych ptaków, i to wszystkich, należy umieścić bażanta; ale mało jest śmiertelnych, którzy umieliby go należycie przyrządzić.

Bażant spożyty w pierwszym tygodniu po zabiciu nie da się porównać ani z kuropatwą, ani z kurczęciem, cała bowiem wartość bażanta jest w jego aromacie.

Nauka zbadała rozwój tego aromatu, doświadczenie pouczyło, kiedy osiąga on apogeum: bażant przyrządzony we właściwym momencie jest daniem godnym najbardziej namiętnego smakosza.

Czytelnik znajdzie w *Rozmaitościach* sposób pieczenia bażanta à la Święte Przymierze. Nadszedł czas, żeby ten sposób, dotąd znany małemu kręgowi przyjaciół, upowszechnił się dla szczęścia ludzkości. Bażant z truflami zgoła nie jest tak dobry, jak mogłoby się zdawać; ptak zbyt jest suchy, żeby mógł omaścić bulwy; zresztą oba zapachy neutralizują się przy połączeniu albo też raczej nie są dla siebie wzajem odpowiednie.

Kilku uczonych, niezbyt zresztą prawowiernych, twierdziło, że Ocean jest wspólną kolebką wszystkiego co żywe, że nawet sam rodzaj ludzki narodził się w morzu, a swój stan obecny zawdzięcza człowiek jedynie działaniu powietrza i zwyczajom, których musiał nabrać, aby móc przebywać w tym nowym żywiole.

Jakkolwiek rzeczy się mają, jest przynajmniej pewne, że królestwo wód zawiera nieprzebrane ilości istnień wszelkich kształtów i rozmiarów, które wyposażone we własności witalne w proporcjach bardzo rozmaitych, zachowują się w sposób zgoła inny niż zwierzęta ciepłokrwiste.

Niemniej jest prawdą, że morze powszędy i zawsze zawiera ogromne ilości pokarmów etc., co przy obecnym stanie wiedzy pozwala wprowadzić na nasze stoły najmilsze urozmaicenia.

Ryba, mniej pożywna jak mięso, ale soczystsza od roślin, stanowi *mezzo termine*: odpowiada wszystkim niemal temperamentom i nawet dla rekonwalescentów jest dozwolona.

Grecy i Rzymianie, choć nie dorównujący nam w sztuce przyprawiania ryb, przecież szacowali je bardzo wysoko i taką odznaczali się subtelnością, że potrafili po ich smaku odgadnąć, z jakich wód pochodzą.

Starożytni trzymali ryby w sadzawkach; znane jest okrucieństwo Vediusa Polliona, który karmił mureny ciałami zabijanych w tym celu niewolników; cesarz Domicjan głośno potępił to okrucieństwo, ale powinien był wymierzyć za nie karę.

Prowadzono wielkie debaty, komu oddać pierwszeństwo: rybom morskim czy rybom słodkowodnym.

Spór nie zostanie zapewne nigdy rozstrzygnięty, zgodnie z przysłowiem hiszpańskim: *sobre los gustos, no hay disputa*. Każdy ceni sobie co innego: te ulotne wrażenia nie mogą zostać określone i nie ma miar, wedle których można by orzec, czy świeży kablion, sola albo turbot jest lepszy od troci łososiowatej, szczupaka z głębokich wód czy nawet od lina ważącego sześć albo siedem funtów.

Nic ulega wątpliwości, że ryba jest znacznie mniej pożywna niż mięso, czy to dlatego, że nie zawiera wcale osmazomu, czy że będąc lżejszej wagi przy takiej samej objętości, mniej ma substancji. Małże, a w szczególności ostrygi, mało są sycące; dlatego można ich zjeść wiele bez szkody dla dań, które następują potem.

Wiemy, że ongi wystawna uczta zaczynała się zwykle od ostryg i że niejeden biesiadnik potrafił zjeść gros ostryg (dwanaście tuzinów, czyli sto czterdzieści cztery). Ciekaw byłem, ile też waży taka przystawka, i sprawdziłem, że tuzin ostryg (wraz z płynem) równa się czterem uncjom, na gros wypada więc trzy funty. Otóż uważam za pewne, że te same osoby, które z nietkniętym apetytem przystępowały do obiadu po takim wstępie, byłyby najzupełniej syte, gdyby zjadły tę samą ilość mięsa, choćby to było tylko mięso kurczęcia.

W 1798, kiedy byłem w Wersalu jako komisarz Dyrektoriatu, dość często spotykałem się z panem Laperte, urzędnikiem ministerium przy trybunale departamentu; był to wielki amator ostryg i skarżył się, że nigdy nie najadł się ich do syta, jak powiadał: żeby mieć dosyć.

Postanowiłem zrobić mu tę przyjemność i w tym celu zaprosiłem go na obiad nazajutrz.

Przyszedł; dotrzymywałem mu kroku aż do trzeciego tuzina, za czym pozostał na placu sam. Rachunek jego sięgał trzydziestu dwóch po dobrej już godzinie, ponieważ osoba otwierająca ostrygi nie była dość sprawna.

Ja wszakże trwałem w bezczynności, a że przy stole jest to rzecz naprawdę nieznośna, rzekłem do mego gościa w chwili, gdy był w największym ferworze:

– Mój drogi, widzę, iż nie jest panu dziś przeznaczone mieć dosyć ostryg, przystąpmy więc do obiadu.

Zjedliśmy tedy obiad, przy którym on zachowywał się z werwą człowieka, który nic nie miał w ustach.

Muria Garum

Starożytni używali dwóch przypraw rybnych o znakomitym smaku; nazywały się one *muria garum.*

Muria jest to solanka z tuńczyka albo, dokładniej mówiąc, płynna substancja powstająca wskutek działania soli na tę rybę.

Garum, znacznie bardziej drogie, jest nam mniej znane. Podobno uzyskiwano je, wyciskając marynowane wnętrzności skumbrii czy makreli; lecz jeśli tak, dlaczego tak wysoka cena? Raczej należy przypuszczać, że był to jakiś sprowadzany sos, może s o j a pochodząca z Indii, a otrzymywany jako rezultat fermentacji ryb z grzybami.

Niektóre ludy, z racji swego miejsca zamieszkania, niemal wyłącznie odżywiają się rybami; karmią nimi również swoje pociągowe zwierzęta; użyźniają nawet rybami grunt; otaczające zaś morze nadal dostarcza im ryb w niezmienionej ilości.

Zaobserwowano, że te ludy mniejszą odznaczają się odwagą od odżywiających się mięsem; cechuje je bladość, co całkiem naturalne: biorąc pod uwagę składniki ryb, bardziej wzbogacają one limfę, niż odnawiają krew.

Obserwacje wykazały również, że u tych nacji życie ludzkie częstokroć trwa dłużej, czy to dlatego, że mało treściwe i lekkie jadło chroni przed nadmierną krwistością, czy dlatego, że soki, jakie ono zawiera – przeznaczone przez naturę jedynie do kształtowania ości i chrząstek o małej trwałości – opóźnia o kilka lat, przy stałym spożywaniu ryb, obumieranie wszystkich części ciała, powodujące śmierć naturalną.

Jakkolwiek rzeczy się mają, ryba w rękach umiejętnego kucharza może stać się niewyczerpanym źródłem przyjemności smakowych; podaje się ją w całości, w kawałkach, podzieloną na dzwonka, z wody, przyrządzoną w oliwie, w winie, zimną, gorącą i zawsze spotyka się ona z równie dobrym przyjęciem; nigdy jednak nie zasługuje na większe pochwały niż wówczas, gdy pojawia się jako potrawka w winnym sosie zwana *matelote*.

To danie, choć z konieczności spożywane przez marynarzy na naszych rzekach, a do doskonałości doprowadzone tylko przez oberżystów nad brzegami wód, zasługuje na naszą dla nich wdzięczność, nic bowiem nie dorówna mu dobrocią; entuzjaści ryb nie omieszkają nigdy wyrazić swego zachwytu, ledwie ta potrawka się pojawi, czy to dla prostoty jej smaku, czy dlatego, że liczne są jej zalety, czy wreszcie, że można ją spożywać w nieograniczonych wprost ilościach, nie lękając się ani przejedzenia, ani niestrawności.

Gastronomia analityczna usiłowała zbadać działanie diety rybnej na organizmy zwierzęce i jednomyślne obserwacje dowiodły, że wpływa ona znacznie na płodność i u obu płci budzi instynkt rozrodczy.

Kiedy ten efekt stał się wiadomy, odkryto najsampierw dwie bezpośrednie przyczyny mogące go wywołać, tak że znalazł się w zasięgu wszystkich: 1. rozmaite sposoby przyrządzania ryb o działaniu bez wątpienia podniecającym, jak kawior, śledź wędzony, marynowany tuńczyk, dorsz, sztokfisz i podobne; 2. rozmaite soki, jakimi ryba jest nasycona, o działaniu wysoce rozpalającym – utleniają się i unieszkodliwiają przy trawieniu.

Głębsza analiza wykryła przyczynę trzecią, jeszcze bardziej aktywną, a mianowicie: fosfor w gotowej już postaci znajduje się w mleczu ryby, czego dowiodły badania.

Te prawdy fizyczne na pewno były nieznane prawodawcom kościelnym, którzy ustanowili diety wielkopostne dla rozmaitych zakonów, jako to kartuzi, franciszkanie reformowani, trapiści, karmelitanki bose zreformowane przez świętą Teresę; niepodobna bowiem przypuszczać, że celem ich było jeszcze bardziej utrudnić zachowanie ślubu czystości i tak dostatecznie przeciwnego porządkowi społecznemu.

Nikt nie zaprzeczy, że odniesiono zwycięstwa wspaniale, że okiełznano buntownicze zmysły; lecz ile też upadków! ile klęsk! A musiały być one dowiedzione niechybnie, skoro pewien zakon religijny zyskał sławę podobną tej, jaką cieszył się Herkules u córek Danaosa albo marszałek Saski u panny Lecouvreur.

Zresztą mogła ich oświecić anegdota stara, bo pochodząca z czasów wojen krzyżowych.

Sułtan Saladyn, pragnąc się przekonać, jak daleko idzie wstrzemięźliwość derwiszów, sprowadził dwóch do swego pałacu i przez niejaki czas kazał ich żywić najsoczystszym mięsiwem.

Wkrótce znikły z ich ciał ślady zadawanych sobie srogości i derwisze zaczęli nabierać tuszy.

Wówczas przydano im za towarzyszki dwie odaliski o piękności zaiste wszechmocnej; ale żaden rezultat nie uwieńczył ich najbardziej umiejętnych sposobów i dwaj święci wyszli z tej delikatnej próby czyści jak diament z Wizapur.

Sułtan zatrzymał derwiszów nadal w swoim pałacu i żeby uczcić ich triumf, przez kilka tygodni kazał im podawać potrawy przyrządzone z równą troskliwością, ale wyłącznie z ryb.

W kilka dni potem wypróbowano na nich po raz wtóry mocy młodości złączonej z urodą; ale tym razem natura okazała się silniejsza i nazbyt szczęśliwi asceci ponieśli zdumiewającą klęskę.

Przy dzisiejszym stanie wiedzy zdaje się prawdopodobne, że jeśli bieg rzeczy sprowadzi na powrót jakiś zakon, przełożeni wyznaczą mnichom dietę bardziej sprzyjającą wypełnianiu ich obowiązków.

Ryby, rozpatrywane w mnogości swoich rodzajów, są dla filozofa niewyczerpanym przedmiotem medytacji i zdumienia.

Rozmaite kształty tych osobliwych stworzeń, brak zmysłów, ograniczoność tych, co zostały im dane, różne sposoby egzystencji, wpływ, jaki musiała wywrzeć na to wszystko odmienność środowiska, gdzie przyszło im żyć, oddychać i poruszać się, poszerzają krąg naszych idei i niejasnych pojęć o przemianach, które mogą wynikać z materii, ruchu i życia.

Co do mnie, mam dla ryb uczucie podobne do respektu, które rodzi się z wewnętrznego przekonania, że są to stworzenia na pewno przedpotopowe; wielki bowiem kataklizm, który zatopił naszych ciotecznych dziadków około osiemnastego wieku od stworzenia świata, był dla ryb czasem radości, podbojów i wielkich fet.

Ten, co powiada trufla, wymawia wielkie słowo, które budzi wspomnienia erotyczne i smakoszowskie u płci noszącej spódnice i wspomnienia smakoszowskie i erotyczne u płci noszącej brody.

Ta zaszczytna podwójność wynika nie tylko stąd, że sławny grzyb uchodzi za wyborny w smaku, ale też stąd, że powiększa moce, których użycie łączy się z najsłodszą rozkoszą.

Pochodzenie trufli jest nieznane: znajduje się je, ale nie wiadomo, ani jak się rodzą, ani jak rosną. Najzmyślniejsi ludzie zajęli się tą sprawą: zdawało się, że rozpoznają ziarna, że można będzie siać trufle do woli. Próżne wysiłki! Zawodne obietnice!

Żaden posiew nie przyniósł zbioru i nie jest to chyba wielkie nieszczęście: ponieważ cena trufli zależy trochę od kaprysu, może ceniono by je mniej, gdyby było ich wiele i kosztowałyby tanio.

– Możesz być rada, droga przyjaciółko – powiedziałem pewnego razu do pani de V – w Towarzystwie Zachęty Rzemiosła zaprezentowano sposób robienia wspaniałych koronek, które będą kosztowały tyle co nic.

– Ech! – odparła piękna dama ze spojrzeniem pełnym najwyższej obojętności – gdyby koronki kosztowały tanio, czy myślisz, że warto by nosić taką lichotę?

O erotycznych zaletach trufli

Rzymianie znali trufle; ale nie wydaje się, żeby znali ich rodzaj francuski. Te, które były rozkoszą ich podniebienia, sprowadzano z Grecji, z Afryki, a głównie z Libii; substancja ich była biała i czerwonawa, ceniono zaś najwyżej trufle libijskie, jako najdelikatniejsze i najbardziej aromatyczne.

...gustus elementa per omnia quaerunt[4].

Juwenal

Od czasów rzymskich do naszych trwało długie
bezkrólewie i pojawienie się trufli jest rzeczą dosyć
nową, w dawnych bowiem księgach przepisów
nie napotkałem o nich wzmianki: można nawet
powiedzieć, że generacja, która dobiega końca
w momencie, kiedy piszę, była tego pojawienia się
niemal świadkiem.

Około 1780 trufle były rzadkością w Paryżu;
można je było dostać, i to w małej ilości, tylko
w Hôtel des Américains i Hôtel de Provence, zaś
indyk nadziany truflami był rzeczą tak zbytkowną,
że podawano go jedynie na stołach wielkich panów albo dam na utrzymaniu.

Że trufli jest dzisiaj więcej, mamy do zawdzięczenia sprzedawcom wiktuałów, sprzedawcom,
których liczba znacznie wzrosła i którzy widząc, że
ten towar jest w łaskach, zaczęli go szukać po całym królestwie; płacąc dobrze i sprowadzając trufle
pocztą oraz dyliżansami, sprawili, że poszukiwania
stały się powszechne, skoro bowiem niepodobna
trufli hodować, tylko w ten sposób można zwiększyć ich spożycie.

Sądzę, że w momencie kiedy piszę (1825), sława trufli osiągnęła apogeum. Nikt nie ośmieli się
powiedzieć, że zasiadł do stołu, gdzie nie podano
trufli choćby w jednym z dań. Jakkolwiek dobra
jest potrawa główna, prezentuje się licho, jeśli nie
wzbogacają jej trufle. I któż nie czuł, jak ślinka na-
pływa mu do ust, gdy słyszy o truflach po pro-
wansalsku?

Sauté z trufli jest daniem, którego honory czyni
sama pani domu; słowem, trufla to brylant kuchni.

---

[4] ...we wszystkim smaku szukają jedynie.

Próbowałem odkryć przyczynę tej wyższości; zdawało mi się bowiem, że wiele innych substancji ma równe prawo do tak zaszczytnego miejsca; i znalazłem ją w przekonaniu dość rozpowszechnionym, że trufle usposabiają przychylnie do przyjemności intymnej natury; co więcej, stwierdziłem, że jest to przyczyna wielu naszych perfekcji, upodobań i podziwów, tak potężna i powszechna jest niewola, w jakiej trzyma nas ta rzecz tyrańska i kapryśna!

Odkrycie to sprawiło, że pragnąłem wiedzieć, czy efekt w istocie odpowiada famie, a mniemanie opiera się na faktach.

Zamiar ryzykowny, który może usposobić złośliwców do szyderstw; ale *honni soit gui mal y pense!* Każda prawda godna jest odkrycia.

Wpierw zwróciłem się do pań, ponieważ mają one oko bystre i subtelne poczucie taktu, ale rychło zrozumiałem, że powinienem był zacząć te rozmowy czterdzieści lat wcześniej, bo też otrzymałem odpowiedzi ironiczne albo wykrętne; tylko jedna z dam okazała dobrą wolę i tej oddam głos; jest to osoba dowcipna, bez pretensji, cnotliwa bez udawanej skromności i dla której miłość to jedynie miłe wspomnienie.

– Łaskawy panie – powiedziała – w czasach, kiedy kolacje były jeszcze w zwyczaju, siedliśmy do stołu w trzy osoby, z mężem i jednym z moich przyjaciół. Verseuil (tak bowiem ten przyjaciel się nazywał) był pięknym chłopcem, nie zbywało mu na dowcipie i często zjawiał się u mnie; ale nie powiedział nigdy nic takiego, aby można go było uważać za mego zalotnika; i jeśli okazywał mi względy, to w sposób tak zawoalowany, że tylko kobieta głupia mogłaby się o to pogniewać. Owego dnia, jak się zdawało, miał zamiar dotrzymać mi towarzystwa przez resztę wieczoru, ponieważ mój mąż miał spotkanie w swoich sprawach i musiał opuścić nas wkrótce. Nasza kolacja, dość lekka zresztą, jako danie główne miała wspaniałą sztukę drobiu nadzianą truflami. Przysłał mi ją subdelegat z Périgord. W owych czasach był to piękny dar; z samego pochodzenia może pan ocenić, jakiej doskonałości było to pieczyste. Zwłaszcza wyśmienite były trufle, a wie pan, że bardzo je lubię; jednakże jadłam z umiarem i wypiłam tylko kieliszek szampana: instynkt kobiecy mi mówił, że wieczór nie minie bez jakiegoś wydarzenia. Wkrótce mój mąż odszedł i zostawił mnie samą z Verseuilem, co do którego nie żywił najmniejszych obaw. Rozmowa toczyła się zrazu na obojętne tematy; ale niebawem przybrała bardziej zdecydowany i ciekawy obrót. Verseuil to mi schlebiał, to skłaniał się do wynurzeń, to przemawiał czule i pieszczotliwie, a widząc, że drwię sobie z tych pięknych rzeczy, taką okazał natarczywość, że nie mogłam się mylić co do jego zamiarów. Wówczas obudziłam się jak ze snu i zaczęłam się bronić z tym większą szczerością, że serce moje nie czuło nic dla niego. On nie ustawał w swych zapałach, które mogły się stać wręcz obraźliwe; z wielkim trudem przywiodłam go do opamiętania; i wyznam ku mojemu wstydowi, że osiągnęłam to jedynie dlatego, bom zdołała go przekonać, jakoby wszelka nadzieja nie była mu wzbroniona. Wreszcie odszedł; położyłam się i zasnęłam spokojnie. Ale nazajutrz nastąpił dzień sądu; rozważyłam moje zachowanie się poprzedniego wieczora i uznałam je za naganne. Powinnam była powstrzymać Verseuila już przy pierwszych zdaniach i nie przychylać się do rozmowy, która nie wróżyła nic dobrego. Moja duma winna była obudzić się wcześniej, oczy uzbroić w surowość; trzeba mi było dzwonić, wołać, okazać gniew, słowem, zrobić wszystko, czego nie zrobiłam. Cóż mam panu powiedzieć? Uznałam, że wszystkiemu były winne trufle; jestem najpewniejsza, że za ich sprawą okazałam niebezpieczną skłonność; i jeśli się ich nie wyrzekłam (co byłoby zbyt okrutne), to nigdy się nie zdarza, bym jadła je z przyjemnością wolną od odrobiny nieufności.

Z wyznania choćby najszczerszego niepodobna wywieść doktryny. Szukałem więc dalszych wyjaśnień; przywołałem własne wspomnienia, zasięgnąłem opinii ludzi, którzy przez sam swój status budzą większą ufność; zgromadziłem ich jako komitet, trybunał, senat, sanhedryn, areopag i wydaliśmy orzeczenie następujące, które poddaję komentarzom literatów w wieku dwudziestym piątym:

„Trufla zgoła nie jest niezawodnym *aphrodisiacum*, ale w pewnych okolicznościach może kobiety uczynić tkliwszymi, a mężczyzn milszymi".

W Piemoncie trafiają się białe trufle, wielce cenione; smakiem przypominają trochę czosnek, co nic im nie ujmuje, jako że nie wynikają stąd żadne niemiłe następstwa.

Najlepsze trufle francuskie pochodzą z Périgord i z górnej Prowansji; około stycznia są najbardziej aromatyczne.

Trufle zdarzają się również w Bugey i są tam wyśmienite, ale mają ten niedostatek, że nie dają się przechowywać; żeby móc nimi uraczyć szlifibruków znad brzegów Sekwany, dokonałem czterech prób, z których powiodła się tylko jedna; ale poznali ich wyborny smak i zasługę przezwyciężania przeszkód.

Trufle z Burgundii i Delfinatu są gorszej jakości i twarde; tak więc są trufle i trufle, jak są wina i wina.

Żeby znaleźć trufle, używa się najczęściej psów i świń, ćwiczonych w tym celu; ale trafiają się ludzie o tak wyrobionym oku, że na sam widok terenu mogą powiedzieć, i to z niejaką pewnością, czy rosną tam trufle oraz jaka jest ich wielkość i jakość.

Przy dzisiejszym stanie wiedzy przez c u k i e r rozumiemy substancję słodką w smaku, dającą się skrystalizować, która w procesie fermentacji rozkłada się na kwas węglowy i alkohol.

Ongi przez c u k i e r rozumiano zgęszczony i oczyszczony cukier z trzciny cukrowej (*arundo saccharifera*).

Ta trzcina pochodzi z Indii; jednakże jest rzeczą pewną, że Rzymianie nie znali i nie używali cukru ani nie wiedzieli o jego krystalizacji.

Z kilku miejsc w księgach starożytnych można wywnioskować, że Rzymianie spostrzegli, iż z części niektórych trzcin da się wycisnąć słodki sok. Lukan mówi:

Quique bibunt tenera dulces ab arundine succos[5].

Ale od wody osłodzonej sokiem z trzciny do cukru, jaki dziś posiadamy, jest daleko; Rzymianie nie doszli do tego osiągnięcia.

Cukier prawdziwy zrodził się w koloniach Nowego Świata; trzcinę cukrową sprowadzono tam mniej więcej przed dwoma wiekami; rozwija się dobrze. Spróbowano spożytkować słodki sok, który z niej wycieka, i idąc krok po kroku uzyskano kolejno sok, syrop, cukier ziemny, melasę i cukier w rozmaitym stopniu oczyszczony.

Uprawa trzciny cukrowej nabrała dziś wielkiego znaczenia; jest ona źródłem bogactwa czy to dla tych, co mają jej plantacje, czy dla tych, co sprzedają uzyskane z trzciny produkty czy dla tych, co przy niej pracują, czy wreszcie dla rządów nakładających na cukier podatki.

VIII.
O cukrze

---

[5] A które z młodej trzciny piją słodkie soki.

Rozmaite zastosowania cukru

Cukier wyszedł na świat przez drzwi aptek. Musiał odgrywać w nich wielką rolę, ponieważ, by określić kogoś, komu brak czegoś ważnego, mówiono: Jest jak aptekarz bez cukru.

Dość było mu tego pochodzenia, aby przyjęto go nieprzychylnie: jedni mówili, że cukier wywołuje obstrukcje; inni, że szkodzi na piersi; byli tacy, co twierdzili, że sprzyja apopleksji; ale te kalumnie musiały ustąpić miejsca prawdzie i przed osiemdziesięciu z górą laty wypowiedziano te pamiętne słowa: Cukier przyczynia szkód tylko sakiewce.

Pod osłoną tak niezawodną użycie cukru stało się z każdym dniem częstsze i bardziej powszechne i nie ma substancji pokarmowej, która zaznałaby liczniejszych przemian i połączeń.

Wiele osób lubi jeść cukier bez żadnych domieszek i w pewnym wypadkach, najczęściej beznadziejnych, Medycyna zaleca go pod tą postacią jako lek, który nie może zaszkodzić, a przynajmniej nie ma w sobie nic przykrego.

Połączony z wodą, daje wodę słodzoną, napój odświeżający; zdrowy; miły w smaku, a czasem zbawienny jako lekarstwo.

Połączony z większą ilością wody i skoncentrowany przez ogrzewanie, daje syropy absorbujące wszelkie aromaty, orzeźwiające o każdej porze, które dzięki rozmaitości swojej mogą zadowolić każdy smak.

Połączony z wodą, której sposobem umiejętnym odejmuje się ciepłotę, daje lody, smakołyk pochodzenia italskiego, wprowadzony do nas zapewne przez Katarzynę Medycejską.

Połączony z winem, daje kordiał o mocy tak krzepiącej, że w pewnych krajach skrapia się nim pieczyste podawane nowożeńcom w noc poślubną, podobnie jak z tejże okazji, w Persji, nóżki baranie w occie.

Połączony z mąką i jajami, daje biszkopty, makaroniki, faworki, babki i rozmaitość ptifurów, wypiekanych od dość niedawna przez specjalistów cukierników.

Połączony z mlekiem, daje kremy, galaretki i temu podobne, które, stanowiąc przyjemny antrakt po treściwych daniach mięsnych, wzbogacają posiłek o akcent subtelniejszy i lżejszy.

Połączony z kawą, podnosi jej aromat.

Połączony z kawą mleczną, daje napój lekki, przyjemny, łatwy do przyrządzenia i wybornie odpowiadający tym, którzy zaraz po śniadaniu zasiadają do pracy w gabinecie. Kawa mleczna smakuje też znakomicie paniom; ale przenikliwe oko wiedzy odkryło, że zbyt częste jej użycie może przynieść szkodę temu, co najdrożej sobie cenią.

Połączony z owocami i kwiatami, daje konfitury, marmolady, konserwy, ciasta, owoce kandyzowane, utrwalając zapach tych owoców i kwiatów, którym możemy się rozkoszować, kiedy dawno już minął czas życia wyznaczony im przez naturę.

Ten ostatni wzgląd mógłby przyczynić się do zastosowania cukru przy wyrobie pachnideł, który to kunszt słabo jest jeszcze u nas rozwinięty.

Cukier wreszcie, połączony z alkoholem, daje likiery spirytusowe, wynalezione, jak wiadomo, dla pokrzepienia Ludwika XIV w jego starości; likiery, które działając na podniebienie przez swoją moc, na powonienie zaś przez dodane zapachy, są dziś *nec plus ultra* w dziedzinie smaku.

Użycie cukru nie kończy się na tym. Można powiedzieć, że jest on przyprawą o charakterze uniwersalnym, która niczemu nie szkodzi. Niektórzy dodają cukier do mięs, czasem do jarzyn, często też posypują nim świeże owoce. Jest składnikiem niezbędnym najmodniejszych dziś napojów, jak poncz, *negus*, *sillabub* i inne pochodzenia egzotycznego;

ma zastosowanie o zmienności wprost nieskończonej, bo zależnej od gustów narodów i jednostek.

Taka jest substancja, którą Francuzi w czasach Ludwika XIII znali zaledwie z nazwy, a która dla Francuzów w dziewiętnastym wieku stała się artykułem pierwszej potrzeby; nie ma bowiem kobiety, zwłaszcza zamożnej, która nie wydawałaby więcej na cukier niż na chleb.

Pan Delacroix, literat równie miły w obejściu, jak płodny w dziele, ubolewał w Wersalu nad cenami cukru, który wówczas kosztował ponad 5 franków za funt.

– Ach – mówił głosem łagodnym i czułym – gdybyż to cukier kosztował 30 su, nie piłbym innej wody jak osłodzonej.

Jego życzeniu stało się zadość; żyje jeszcze i spodziewam się, że dotrzymał słowa.

IX.
Pochodzenie kawy

Pierwsze kawowce znaleziono w Arabii i mimo licznych transplantacji, którym ten krzew podlegał, z Arabii nadal pochodzi najlepsza kawa.

Stara tradycja powiada, że odkrywcą kawy był pewien pasterz, który zauważył, że jego stado objawia osobliwą wesołość i ożywienie, ilekroć skubie owoce kawowca.

Jakkolwiek z tą historyjką rzeczy się mają, zaszczyt odkrycia należałby tylko w połowie do bystrego pasterza owiec; reszta niezaprzeczenie jest własnością tego, kto pierwszy wpadł na pomysł palenia kawy.

Bo też wywar z kawy surowej to napój bez znaczenia; natomiast palenie ziaren wydobywa z nich aromat i oleistość, charakterystyczne dla kawy, którą pijemy, te zaś własności na wieki pozostałyby nieznane bez udziału ciepła.

Turcy, którzy są mistrzami w tej materii, nie używają zgoła młynków do kawy; tłuką ziarna

w moździerzach drewnianymi tłuczkami; kiedy te narzędzia były długo w użyciu, stają się cenne i są drogo sprzedawane.

Z rozmaitych powodów trzeba mi było sprawdzić, czy istnieje różnica w efektach i który z dwóch sposobów jest lepszy.

Upaliłem zatem starannie funt dobrej mokki; podzieliłem ją na dwie równe porcje, z których jedna została zmielona, druga zaś utłuczona na sposób turecki.

Zrobiłem kawę z obu proszków, biorąc z każdego równą ilość, wrzuciłem oba do jednakowej ilości wrzącej wody, a i w dalszym postępowaniu przestrzegałem idealnej równości.

Skosztowałem tę kawę i podałem ją do spróbowania największym znawcom. Zgodnie orzekli, że kawa tłuczona jest niewątpliwie lepsza od mielonej.

Każdy może powtórzyć to doświadczenie. Ja zaś przytoczę tymczasem dość osobliwy przykład działania, jaki może wywierać ten lub inny rodzaj manipulacji.

– Mój panie – powiedział pewnego razu Napoleon do senatora Laplace'a – jak to się dzieje, że szklanka wody, do której włożę kawałek cukru, smakuje znacznie lepiej niż szklanka wody z taką samą ilością miałkiego cukru?

– Wasza Cesarska Mość – odparł uczony – istnieją trzy substancje, których składniki są dokładnie takie same, mianowicie: cukier, guma i krochmal; różnią się tylko stanem, którego sekret zachowała natura; tarcie wywołane tłuczeniem sprawia, że pewne cząstki cukru stają się gumą czy krochmalem, i powodują różnicę, o której mówisz.

To spostrzeżenie stało się dość głośne i późniejsze obserwacje potwierdziły jego słuszność.

Przed kilku laty wszyscy interesowali się zgodnie najlepszym sposobem przyrządzania kawy; wynikało to niemal bezwiednie stąd, że wiele jej pijał człowiek stojący na czele państwa!

Mówiono więc, że kawy nie trzeba ani palić, ani mleć; że dobra jest, gdy naciąga na zimno; że należy ją gotować przez trzy kwadranse albo poddać ciśnieniu pary etc.

W swoim czasie wypróbowałem wszystkie te sposoby oraz inne, nowszej daty, i ze świadomością rzeczy wybrałem sposób zwany *à la Dubelloy*, który polega na zalaniu wrzącą wodą kawy w naczyniu porcelanowym czy srebrnym, zaopatrzonym w drobne otwory. Bierze się ten pierwszy wywar, ogrzewa aż do wrzenia, przepuszcza raz jeszcze przez naczynie i otrzymuje najklarowniejszą i najlepszą kawę ze wszystkich możliwych.

Próbowałem między innymi przyrządzać kawę w imbryku pod wysokim ciśnieniem; ale rezultatem był gorzki ekstrakt, który w najlepszym razie mógłby zadowolić gardło Kozaka.

Lekarze ogłosili rozmaite poglądy dotyczące własności zdrowotnych kawy, ale nic zawsze byli ze sobą w zgodzie; pozostawimy owe spory na boku, by zająć się tym, co najważniejsze, mianowicie wpływem kawy na organy myślenia.

Nie ulega żadnej wątpliwości, że kawa niezmiernie pobudza umysł; jakoż człowiek, który pije ją po raz pierwszy, może być pewien, że części snu zostanie pozbawiony.

Czasem przyzwyczajenie łagodzi albo zmienia ten efekt, wiele jest jednak osób, które kawa zawsze podnieca i które w konsekwencji muszą wyrzec się tego napoju.

Powiedziałem, że przyzwyczajenie łagodzi działanie kawy; lecz pojawia się ono w innej postaci:

zaobserwowałem, że osoby, którym kawa nie prze-
szkadza spać w nocy, potrzebują jej dla oprzytom-
nienia za dnia, a jeśli nie wypiją kawy po obiedzie,
usypiają w ciągu wieczora.

Inne znów są senne przez cały dzień, jeśli nie
dostały swojej filiżanki kawy z samego rana.

Voltaire i Buffon pili dużo kawy; może temu
przyzwyczajeniu pierwszy zawdzięczał niezwykłą
jasność swych dzieł, drugi zaś porywającą harmonię stylu. Jest oczywiste, że liczne stronice „Trak-
tatów o człowieku, o psie, tygrysie, lwie i koniu"
były pisane w stanie niezwykłego podniecenia mó-
zgowego.

Bezsenność spowodowana kawą nie jest przy-
kra; postrzeżenia są bardzo jasne i nic mamy żadnej ochoty na sen: oto wszystko. Człowiek nie jest
ani wzburzony, ani nieszczęśliwy jak wówczas, gdy
bezsenność wynika z innych powodów; nie znaczy
to wszelako, że takie niewczesne podniecenie nie
przyniesie szkody, jeśli potrwa czas dłuższy.

Dawniej tylko osoby dorosłe piły kawę; teraz
piją ją wszyscy i może za przyczyną tej podniety, niczym uderzenie bicza działającej na umysł,

ogromny tłum oblega wszystkie drogi prowadzące na Olimp i do świątyni Pamięci.

Pewien szewc, autor tragedii *La Reine de Palmyre*, którą cały Paryż słyszał przed kilku laty, pił bardzo dużo kawy; toteż wyniósł się wyżej od stolarza z Nevers, który był tylko pijakiem.

Kawa jest likworem o działaniu znacznie mocniejszym, niż się na ogół przypuszcza. Człowiek tęgiej konstytucji może żyć długo, pijąc dwie butelki wina dziennie. Ten sam człowiek nie zniósłby przez ten sam czas podobnej ilości kawy; stałby się idiotą albo umarłby na uwiąd.

W Londynie, na placu Leicester, widziałem człowieka, którego nadmierne użycie kawy doprowadziło do kalectwa (*cripple*); nie cierpiał, przyzwyczaił się do tego stanu i ograniczał się do pięciu, sześciu filiżanek dziennie.

Jest obowiązkiem wszystkich ojców i matek na świecie zabronić surowo kawy dzieciom, jeśli nie chcą, żeby uschły, skarłowaciały i stały się starcami w wieku dwudziestu lat. To ostrzeżenie dotyczy zwłaszcza paryżan, których dzieci nie zawsze są obdarzone takim zdrowiem i siłą, jak urodzone w pewnych departamentach, na przykład w Ain.

Należę do ludzi, co musieli wyrzec się kawy; i skończę ten rozdział opowieścią o tym, jak przydarzyło mi się zaznać srogiej mocy tego napoju.

Książę de Massa, wówczas minister sprawiedliwości, zamierzył zlecić mi pewną pracę, którą pragnąłem wykonać starannie, a czasu na to miałem mało, książę bowiem żądał jej na dzień następny.

Zdecydowałem się tedy poświęcić na nią noc; i żeby zabezpieczyć się przed sennością, dopełniłem mój obiad dwiema wielkimi filiżankami pachnącej i mocnej kawy.

Wróciłem do domu o siódmej, żeby odebrać zapowiedziane dokumenty; ale zastałem tylko list oznajmiający, że wskutek jakiejś formalności otrzymam je dopiero nazajutrz.

Zawiedziony w całej pełni słowa, powróciłem tam, gdziem był na obiedzie, i zasiadłem do partyjki pikiety, ani przez chwilę nie zaznając roztargnienia, któremu zazwyczaj ulegam.

Przypisałem to kawie; ale choć rad, czułem pewien niepokój na myśl o czekającej mnie nocy.

Wszelako położyłem się o zwykłej godzinie, myśląc, że choćbym nie spał dobrze, mogą liczyć przynajmniej na jakie pięć albo sześć godzin snu, co pozwoli mi dobrnąć do ranka.

Byłem w błędzie; po dwu godzinach, spędzonych w łóżku, jeszcze bardziej byłem rozbudzony; znajdowałem się w stanie wielkiego podniecenia umysłu i imaginowałem sobie, że mój mózg jest młynem, którego koła są w ruchu, choć nie mają nic do zemlenia.

Czułem, że trzeba skorzystać z tej dyspozycji, inaczej nie zaznam potrzeby odpoczynku; i zająłem się ułożeniem w wiersze bajki, którą czytałem niedawno w pewnej książce angielskiej.

Zrobiłem to z łatwością; a ponieważ nie mogłem spać nadal, zabrałem się do następnej bajki, lecz tym razem na próżno. Dwanaście wierszy wyczerpało moją wenę poetycką i musiałem zrezygnować.

Spędziłem więc noc bezsennie, nie zdrzemnąwszy się nawet na chwilę; rano wstałem, ale dzień minął nie lepiej; ani posiłki, ani zajęcia nie przyniosły mi żadnej poprawy. Wreszcie, gdym się położył o zwykłej porze, obliczyłem, że od czterdziestu godzin nie zamknąłem oczu.

X. O czekoladzie. Jej pochodzenie

Ludzi, którzy pierwsi dotarli do Ameryki, popychało pragnienie złota. W owych czasach nie znano niemal innych bogactw prócz pochodzących z kopalń: rolnictwo i handel były w powijakach, ekonomia polityczna jeszcze się nie zrodziła. Hiszpanie znaleźli więc cenne metale, ale odkrycie było poniekąd jałowe, ponieważ ilość owych metali obniżyła ich cenę i dziś mamy lepsze sposoby, by powiększyć masę bogactw.

Lecz okolice, gdzie palące słońce niezwykle użyźnia ziemię, nadawały się do uprawy cukru i kawy; ponadto odkryto tam kartofle, indygo, wanilię, chininę, kakao etc.; oto prawdziwe skarby.

Jeśli doszło do tych odkryć mimo barier, jakie stawiał ciekawości zazdrosny naród, można mieć rozsądną nadzieję, że w najbliższych latach odkrycia owe pomnożą się dziesięciokrotnie i że poszukiwania uczonych starej Europy w wielu niezbadanych krajach wzbogacą trzy królestwa o liczne substancje, zdolne dostarczyć nam nowych doznań – jak to było z wanilią – czy powiększyć nasze odżywcze zasoby, jak kakao.

Czekoladą zwykłe się nazywać mieszaninę powstałą z palonego ziarna kakaowego z cukrem i cynamonem: oto klasyczna definicja czekolady. Cukier stanowi jej składnik istotny z samego bowiem kakao robi się masę kakaową, nie zaś czekoladę. Jeśli do cukru, cynamonu i kakao dodać cudowny zapach wanilii, uzyskamy *nec plus ultra* osiągalnej doskonałości.

Do tej niewielkiej ilości składników smak i doświadczenie ograniczyły ingrediencje, które próbowano kolejno dodawać do kakao, jak to pieprz, pieprz angielski, anyż, imbir i inne.

Kakaowiec pochodzi z Ameryki Południowej; spotyka się go zarówno na wyspach, jak na kontynencie, ale panuje dziś zgodne mniemanie, że drzewa dające najlepszy owoc rosną na brzegach Maracaibo, w dolinach Caracasu i w bogatej prowincji Socomusco. Ziarno jest tam większe, mniej cierpkie i o mocniejszym zapachu. Odkąd te ziemie stały się dostępne, można było czynić ciągłe porównania i wyrobiony smak nie może się już w tym względzie mylić.

Hiszpańskie damy z Nowego Świata uwielbiają czekoladę tak namiętnie, że nie dość im pijać ją kilka razy dziennie: każą sobie niekiedy przynosić ten napój do kościoła. To łakomstwo często bywało powodem nagany ze strony biskupów, ale w końcu przymknęli na to oczy; wielebny ojciec Escobar, którego metafizyka tyleż jest subtelna, co moralność układna, oświadczył formalnie, że czekolada na wodzie nie narusza postu, w ten sposób ku wygodzie swoich penitentek poszerzając stare przysłowie: *Liquidum non frangit ieiunium*[6].

Czekolada pojawiła się w Hiszpanii około siedemnastego wieku i szybko się tam upowszechniła dzięki wielkiemu upodobaniu kobiet, nade wszystko zaś mnichów, do tego aromatycznego napoju. Obyczaje nie zmieniły się pod tym względem; jeszcze dzisiaj na całym półwyspie podaje się czekoladę przy wszystkich okazjach, gdy grzeczność nakazuje zaproponować jakiś orzeźwiający napój.

Czekolada przekroczyła góry wraz z Anną Austriaczką, córką Filipa II i żoną Ludwika XIII. Mnisi hiszpańscy mieli w tym swój udział, ofiarując czekoladę w podarunku swoim współbraciom we Francji. Rozmaici ambasadorowie hiszpańscy także przyczynili się do rozpowszechnienia czekolady; u początku Regencji bardziej była w użyciu niż kawa, albowiem w tych czasach uważano ją za napój odżywczy, gdy kawa uchodziła jeszcze za osobliwy zbytek.

Jak wiadomo, Linneusz nazywa kakao *cacao theobroma* (napój bogów). Szukano przyczyny tego przesadnego określenia; jedni znajdują ją w tym, że

---

[6] Płyn nie narusza postu.

pragnął się przypodobać swojemu spowiednikowi; jeszcze inni w jego dworności, ponieważ królowa pierwsza wprowadziła ją w użycie. (*Incertum*).

Czekolada dała asumpt do daleko idących dysertacji, których celem było określenie jej natury i własności oraz umieszczenie w kategorii pokarmów gorących, zimnych albo letnich; ale trzeba wyznać, że te uczone pisma mało przyczyniły się do odkrycia prawdy.

Czas wszakże i doświadczenie, ci dwaj wielcy mistrzowie, dowiodły, że starannie przygotowana czekolada jest pokarmem równie zbawiennym, jak przyjemnym w smaku; że jest pożywna i łatwostrawna; że nie ma niekorzystnego wpływu na urodę dam, przypisywanego kawie, przeciwnie, posiada własności lecznicze; że bardzo jest stosowna dla osób oddających się wytężonej pracy umysłowej, czy to na uniwersytetach, czy w try-

Własności czekolady

bunałach, zwłaszcza zaś dla podróżnych; że odpowiada najdelikatniejszym żołądkom; że daje dobre rezultaty w chorobach chronicznych i jest ponadto ostatnim odwołaniem przy chorobach odźwiernika.

Te rozmaite własności czekolada zawdzięcza temu, że choć jest tylko *eleosaccharum*, mało znamy substancji, które przy takiej samej objętości zawierają więcej cząstek odżywczych; dlatego jest przyswajalna niemal całkowicie.

Podczas wojny kakao było rzadkie, a nade wszystko bardzo drogie; usiłowano je zastąpić, ale wszystkie wysiłki były daremne, i jednym z dobrodziejstw pokoju było, że uwolniono nas od rozmaitych polewek, które należało łykać z dobroci serca i które tak samo nie były czekoladą, jak napar z cykorii nie jest mokką.

Pewne osoby skarżą się, że nie mogą strawić czekolady; inne, na odwrót, że nie jest dostatecznie pożywna i zostaje strawiona zbyt szybko.

Bardzo zdaje się prawdopodobne, że pierwsze powinny mieć pretensje tylko do samych siebie! Czekolada, którą piją, jest lichej jakości albo źle spreparowana; dobra bowiem i właściwie spreparowana czekolada nie może być niestrawna dla żołądka jako tako choćby funkcjonującego.

Co do drugich, to sposób jest prosty: niechaj dopełnią śniadanie pasztecikiem, kotletem czy nerką z rożna; niech wypiją potem spory *bowl socomusco* i niechaj podziękują Bogu, że obdarzył ich żołądkiem tak sprawnym.

Wyżej powiedziane daje mi okazję do przytoczenia tu pewnej obserwacji, za której ścisłość zaręczam.

Po dobrym i obfitym śniadaniu, uzupełnionym dużą filiżanką wyśmienitej czekolady, posiłek zostanie doskonale strawiony w trzy godziny później, i można zasiąść do obiadu. Z umiłowania wiedzy i dzięki darowi wymowy udało mi się skłonić do tego doświadczenia wiele pań, które zapewniały, że takie śniadanie wypędzi je do grobu; wszelako miały się po nim znakomicie i nie omieszkały sławić profesora.

Ci, co używają czekolady, cieszą się większą stałością zdrowia i mniej są podatni na różne drobne dolegliwości, które psują radość życia; zachowują przy tym bardziej niezmienną tuszę: oto dwie korzyści, które każdy może sprawdzić w swoim otoczeniu oraz wśród tych, czyj sposób odżywiania się jest znany.

Tu należy powiedzieć o własnościach czekolady z ambrą, które sprawdziłem dzięki licznym doświadczeniom; jakoż jestem dumny, że rezultaty mogę oznajmić moim czytelnikom.

Człowiek, który wypił trochę za wiele z kielicha rozkoszy; który spędził przy pracy znaczną część czasu przeznaczonego na sen; który ciesząc się bystrym umysłem poczuje, że chwilowo ogłupiał; któremu powietrze zda się wilgotne, czas nadmiernie długi, a atmosfera trudna do zniesienia; którego dręczy jakieś urojenie, odbierające mu swobodę myśli: wszyscy oni niechaj wypiją pół litra czekolady z ambrą, licząc sześćdziesiąt do siedemdziesięciu ziarenek ambry na pół kilograma, a ujrzą cuda.

W moim własnym systemie określeń, nazywam czekoladę z ambrą czekoladą strapionych, ponieważ wymienione stany łączy wspólne wszystkim poczucie, podobne do strapienia.

O trudnościach zrobienia dobrej czekolady

W Hiszpanii robi się doskonałą czekoladę, ale zniechęcono się do jej sprowadzania, ponieważ nie wszyscy, co ją sobie przygotowują, są jednakowo w tym dziele umiejętni; a skoro już sprowadziliśmy kiepską czekoladę, musimy spożywać ją taką, jaka jest.

Czekolada włoska nie bardzo odpowiada Francuzom; na ogół kakao nazbyt jest przypalone, co sprawia, że czekolada jest gorzka i mało pożywna, część bowiem ziarna uległa zwęgleniu.

Odkąd czekolada weszła w użycie we Francji, wszyscy zabrali się do jej robienia; ale niewielu osiągnęło w tym perfekcję, ponieważ jest to zadanie najeżone trudnościami.

Przede wszystkim trzeba umieć rozpoznać dobre kakao i chcieć z niego uczynić użytek w całej jego czystości, nie ma bowiem takiej skrzynki kakao najlepszego gatunku, która byłaby bez niedostatków; źle zrozumiany interes często każe pozostawić ziarna uszkodzone, które w imię dobrej roboty winno się wyrzucić. Palenie kakao jest również operacją delikatną; wymaga niejakiego umiaru, graniczącego bez mała z natchnieniem. Pewni pracownicy posiadają go z natury i ci nigdy nie popełnią błędu.

Trzeba też specjalnego talentu, żeby dodać właściwą ilość cukru, która zgoła nie jest niezmienna ani raz na zawsze ustalona: określa ją stopień aromatu ziarna i jego upalania.

Mielenie ziarna i uzyskanie mieszanki żądają nie mniejszej troski; od ich doskonałości absolutnej zależy po części strawność czekolady.

Rozwaga jest niezbędna przy wyborze i dozowaniu zapachów, innego dla czekolady przeznaczonej na napoje, innego, gdy mają z niej być łakocie. To dozowanie winno też zmieniać się zależnie od tego, czy do masy zostanie dodana wanilia; tak więc, aby zrobić doskonałą czekoladę, trzeba rozwiązać wiele subtelnych równań: odnosząc korzyści, nie podejrzewamy nawet ich istnienia.

Od pewnego czasu do zrobienia czekolady używa się maszyn; nie sądzimy, by ten sposób przydawał jej doskonałości, zmniejsza wszakże wydatnie pracę rąk; ci więc, co go przyjęli, mogliby sprzedawać swój towar taniej. Tymczasem sprzedają go zazwyczaj drożej, co poucza nas, że prawdziwy zmysł handlowy zgoła jeszcze nie zadomowił się we Francji; albowiem słusznym byłoby, gdyby z ułatwień, jakie dają maszyny, korzyści miał i sprzedawca, i kupujący.

Ponieważ jesteśmy amatorami czekolady, interesowaliśmy się wszystkimi bez mała, co trudnią się jej wyrobem; wybór nasz padł na pana Debauve, z ulicy des Saints-Pères 26, czekoladnika królewskiego, i jesteśmy radzi, że blask opromienia najbardziej godnego.

Nic w tym osobliwego: pan Debauve, znakomity farmaceuta, wnosi do wyrobu czekolady zdobytą wiedzę i poszerza jej zastosowanie.

Ci, co sami nie przyłożyli do czegoś ręki, nie podejrzewają, jakimi trudnościami najeżona jest droga wiodąca do doskonałości w jakim bądź przedmiocie ani też ile trzeba uwagi, poczucia miary i doświadczenia, abyśmy mogli otrzymać czekoladę słodką, ale nie mdłą, mocną, a nie cierpką, aromatyczną bez szkody dla zdrowia i spoistą bez obecności krochmalu.

Takie są czekolady pana Debauve: swoją wyższość zawdzięczają one właściwemu doborowi składników, zdecydowanej woli, by odrzucić wszystko, co nie jest pierwszej jakości, i mistrzowskiemu oku, które ogarnia proces wyrobu we wszystkich szczegółach.

Posłuszny wskazaniom rozumnej doktryny, pan Debauve zadbał ponadto, aby liczni jego klienci mogli zaopatrzyć się w przyjemne leki przeciw pewnym skłonnościom chorobliwym.

I tak dla osób, którym nie dostaje wagi, posiada wzmacniającą czekoladę z salepem; dla tych, co mają delikatne nerwy, czekoladę antyspazmatyczną z kwiatem pomarańczy; dla temperamentów skorych do irytacji – czekoladę z mleczkiem migdałowym; ten wybór pan Debauve dopełni niewątpliwie czekoladą dla strapionych z ambrą, w dozach zgodnych z prawidłami *secundi artis*.

Ale główną jego zasługą jest, że ma dla nas po cenach umiarkowanych zwykłą, a doskonałą czekoladę, z której rano możemy przyrządzić wystarczające śniadanie; którą delektujemy się w kremach podczas obiadu i która cieszy nas pod koniec wieczora, gdy pojawia się w lodach, pod postacią cienkich tabliczek lub w innych łakociach podawanych w salonie, nie mówiąc już o uprzyjemnieniach takich, jak pastylki czy pomadki przyozdobione niekiedy godłami.

Znamy pana Debauve jedynie z jego wyrobów, nie widzieliśmy go nigdy na oczy; ale wiemy, że przyczynił się znacznie do uwolnienia Francji od trybutu, jaki płaciła ona Hiszpanii, dostarcza bowiem Paryżowi i prowincjom czekolady, której sława wciąż rośnie. Wiemy również, że codziennie dostaje nowe zamówienia z zagranicy: z tego tytułu i ponieważ jesteśmy członkiem-założycielem Towarzystwa Zachęty do Rozwoju Industrii Narodowej, udzielamy mu na tym miejscu pochwały i zaszczytnej wzmianki, zgoła nie przesadnych, jak o tym przekonają się wszyscy.

Amerykanie przygotowują masę kakaową bez cukru. Kiedy chcą napić się czekolady, każą przynieść wrzącej wody; każdy struga do swojej filiżanki tyle masy, ile mu dogadza, zalewa wiórki gorącą wodą i dodaje cukru oraz zapachów wedle ochoty.

Ta metoda nie odpowiada naszym obyczajom ani upodobaniom; chcemy mieć od razu gotową czekoladę.

Dzięki wyższej chemii wiemy, że nie należy czekolady ani strugać nożem, ani tłuc w moździerzu, ponieważ suche tarcie w obu wypadkach wydobywa z pewnych cząsteczek cukru krochmal i czyni napój bardziej mdłym.

Toteż żeby przygotować czekoladę do natychmiastowego spożycia, należy wziąć jej półtorej uncji na filiżankę, rozpuszczać powoli w wodzie, w miarę gdy woda się ogrzewa, mieszać drewnianą kopystką; gotować przez kwadrans, żeby roztwór nabrał konsystencji, i podawać gorącą.

– Proszę pana – mówiła mi przed pięćdziesięciu z górą laty pani d'Arestrel, przeorysza klasztoru wizytek w Belley – jeśli chce pan mieć dobrą czekoladę, każ ją przygotować poprzedniego wieczora w fajansowym imbryku i niech tak zostanie. Przez noc czekolada się ustoi, skoncentruje i nabierze gładkości, która uczyni ją lepszą. Dobny Pan Bóg nie może się gniewać za to niewielkie udoskonalenie. On, który jest samą doskonałością.

Teoria smażenia

Był piękny dzień majowy; słońce rzucało łagodne światło na zadymione dachy miasta rozkoszy, na ulicach zaś (rzecz rzadka) nie było ani kurzu, ani błota.

Ciężkie dyliżanse od dawna przestały dudnić po bruku; wózki stały w spokoju; widać było tylko otwarte pojazdy, skąd piękne panie, miejscowe lub przyjezdne, osłonięte najelegantszymi kapeluszami, mają zwyczaj rzucać spojrzenia pełne wzgardy na mężczyzn słabowitych, kokieteryjne zaś na pięknych chłopców.

Była więc trzecia po południu, kiedy profesor zasiadł na fotelu przeznaczonym do rozmyślań.

Jego noga prawa była pionowo wsparta na parkiecie; lewa, wyciągnięta, tworzyła przekątną; siedział wygodnie, złożywszy ręce na głowach lwów, zdobiących z obu stron ów czcigodny mebel.

Jego wzniesione czoło mówiło o skłonności do poważnych studiów, a usta o upodobaniu do miłych dystrakcji. Wyraz twarzy miał pogodny, postawę zaś taką, że nikt nie omieszkałby powiedzieć: „Ten stary człowiek musi być mędrcem".

Tak siedząc, profesor kazał wezwać swego szefa kuchni; sługa zjawił się rychło, gotów do otrzymania rad, nauk albo rozkazów.

– Mistrzu Planche – powiedział profesor z tym akcentem powagi, który przenika do głębi serc – ci wszyscy, co zasiadają do mego stołu, mówią, że twoje zupy są niezrównane; bardzo to dobrze, albowiem zupa jest pierwszą pociechą dla stroskanego żołądka; z przykrością jednak widzę, że w smażeniu nie masz jeszcze pewnej ręki.

Słyszałem wczoraj, jak jęczałeś nad wspaniałą solą, którą podałeś nam bladą, rozmiękłą i bezbarwną. Mój przyjaciel R. rzucił na ciebie spojrzenie pełne dezaprobaty; pan H.R. obrócił smutnie nos na zachód, a prezes S. ubolewał nad tym wydarzeniem tak bardzo, jakby to była klęska publiczna.

To nieszczęście spotkało ciebie, mistrzu Planche, ponieważ zaniedbałeś teorię, z której wagi nie zdawałeś sobie sprawy. Jesteś nieco uparty i niełatwo mogę doprowadzić cię do zrozumienia, że zjawiska zachodzące w twoim laboratorium są jedynie wypełnieniem odwiecznych praw natury; że pewne rzeczy, które robisz nieuważnie, i ponieważ widziałeś, jak robią je inni, niemniej wynikają z pojęć wysokiej scjencji.

Wysłuchaj mnie tedy w skupieniu i ucz się, byś odtąd nie musiał okrywać się rumieńcem wstydu za swe dzieła.

I.
Chemia

Nie wszystkie płyny, które wystawiasz na działanie ognia, mogą znieść tę samą ilość ciepła; natura nie okazała tu równości: tajemnica takiego porządku rzeczy do niej należy, a nazywamy go pojemnością cieplną.

Tak więc możesz bezkarnie zanurzyć palec we wrzącym spirytusie; cofniesz go szybko, jeśli to wódka; jeszcze szybciej, jeśli to woda; gdyby zaś był to wrzący olej, sparzysz się okrutnie; olej bowiem rozgrzewa się co najmniej trzykroć bardziej niż woda.

Dlatego gorące płyny działają w odmienny sposób na zanurzone w nich ciała. W wodzie miękną one i rozpuszczają się: w ten sposób otrzymujemy rosół albo ekstrakty mięsne; natomiast ciała zanurzone w oleju stają się ściślejsze, rumienią się słabiej lub mocniej, a na koniec ulegają zwęgleniu.

W pierwszym przypadku woda rozpuszcza i wyciąga soki z zanurzonych w niej ciał; w drugim te soki pozostają stężone, ponieważ olej nie może ich rozpuścić; a jeśli owe ciała wysychają, to dlatego że pod dalszym działaniem ciepła wyparowuje z nich wszelka wilgoć.

Dwie te metody mają różne nazwy; s m a ż e -
n i e m, nazywamy przyrządzanie we wrzącym oleju lub tłuszczu ciał przeznaczonych do spożycia.
Powiedziałem już chyba, że w języku aptekarskim
olej i tłuszcz są mniej więcej synonimami, ponieważ
tłuszcz jest stężałym olejem, olej zaś rozpuszczo-
nym tłuszczem.

II.
Zastosowanie

Rzeczy smażone spotykają się z dobrym przyjęciem na biesiadach jako pikantna odmiana; są miłe
oku, zachowują swój smak pierwotny i można je
jeść ręką, co zawsze podoba się damom.

Smażenie ponadto daje kucharzom niejeden
sposób, aby mogli zamaskować potrawę z dnia
poprzedniego, i jest im pomocą w nieprzewidzia-
nych wypadkach; bo też nie trzeba więcej czasu na usmażenie karpia niż na ugotowanie jajka
na miękko.

Cała wartość rzeczy dobrze usmażonej pochodzi z z a s k o c z e n i a; tak bowiem nazywa się nagłe
zetknięcie się z ciałem wrzącego płynu, który mo-
mentalnie je rumieni lub spala.

Dzięki z a s k o c z e n i u powstaje na rzeczy sma-
żonej rodzaj osłony, która nie pozwala tłuszczowi
przeniknąć do środka i sprawia, że koncentrują
się soki; soki tym sposobem ugotowane wewnątrz
przydają potrawie najwięcej smaku.

Z a s k o c z e n i e jest możliwe tylko wówczas, gdy
wrzący płyn osiąga temperaturę tak wysoką, by
jego działanie było szybkie i gwałtowne; ale w tym
celu płyn ów musi ogrzewać się dość długo na
żywo płonącym ogniu.

Czy frytura jest odpowiednio gorąca, rozpo-
znasz w następujący sposób: odkrawasz kawałe-
czek chleba i rzucasz go na patelnię na pięć lub

sześć sekund; jeśli po wyjęciu chleb jest ścisły i rumiany, zabierasz się natychmiast do smażenia; w przeciwnym razie trzeba ci podsycić ogień i ponowić doświadczenie.

Skoro zaskoczenie już nastąpiło, zmniejsz ogień, żeby proces gotowania nie postępował zbyt szybko, a soki wewnętrzne pod działaniem dłuższego ogrzewania mogły się złączyć, co podnosi smak potrawy.

Zauważyłeś zapewne, mistrzu Planche, że powierzchnia rzeczy dobrze usmażonych nie rozpuszcza ani soli, ani cukru, których im wszakże trzeba, odpowiednio do ich natury. Toteż nie zapomnij o sproszkowaniu tych dwóch substancji, aby mogły łatwo przylgnąć do powierzchni lekkimi warstwami.

Nie mówię tu o wyborze olejów i tłuszczy; rozmaite księgi przepisów, z których ułożyłem twoją bibliotekę, oświecają cię dostatecznie w tym względzie.

Nie zapomnij wszakże, że jeśli trafi ci się jeden z tych pstrągów, co ważą około ćwierć funta zaledwie, i pochodzą ze strumieni szemrzących z dala od stolicy, nie zapomnij, powiadam, usmażyć go w najdelikatniejszej oliwie z oliwek: to proste danie, właściwie przyprawione solą i cukrem, którego smak zaostrzą płatki cytryny, godne jest kardynalskiego podniebienia[7].

W podobny sposób postępuj ze stynkami, które tak sobie cenią adepci gastronomii. Stynka jest tym

---

[7] Pan Aulissin, wykształcony adwokat neapolitański i wdzięczny wiolonczelista-amator, powiedział pewnego razu przy moim stole, chwaląc sobie jakąś potrawę: *Questo è un vero boccone di cardiale!* – Dlaczego, odparłem w tym samym języku, nie powiada pan: Kąsek królewski! – Panie, rzecze amator, my, Włosi, nie sądzimy, by królowie mogli być smakoszami, ich posiłki są zbyt krótkie i zbyt uroczyste; lecz kardynałowie, ech! I tu zaśmiał się na swój sposób: He, he, he, he! (Przyp. aut.).

wśród ryb, czym figojadka wśród ptaków: tak samo mała, aromatyczna i wyborna.

Te dwa przepisy wywodzą się z natury rzeczy. Doświadczenie poucza, że oliwy należy używać tylko wówczas, gdy operacja może być wykonana szybko albo też nie wymaga wielkiego ognia, ponieważ przydługie wrzenie oliwy wydobywa z niej przykry i nieustępliwy niemal smak spalenizny, pochodzący ze zwęglenia cząsteczek miąższu.

Wypróbowałeś moje niedostępne innym księgi i pierwszy w święcie okryłeś się chwałą, podając ogromnego smażonego turbota. Dnia tego wielka była radość pośród wybranych.

Idź dalej tą drogą, mistrzu Planche, bądź dbały o wszystko, co czynisz, i nie zapominaj nigdy, że od chwili gdy goście weszli do mego salonu, my jesteśmy odpowiedzialni za ich szczęście.

O pragnieniu

Pragnienie jest wewnętrznym poczuciem potrzeby picia.

[...] Rozpatrując tę potrzebę w całej jej rozciągłości, można wymienić trzy rodzaje pragnienia: pragnienie utajone, sztuczne i palące.

Pragnienie utajone albo zwyczajne jest tą niewyczuwalną równowagą, jaka powstaje pomiędzy transpiracją a koniecznością dostarczenia jej pożywki; ten rodzaj pragnienia, nie przyczyniając nam żadnej przykrości, jest powodem, że pijemy podczas posiłków i że możemy pić w każdej niemal chwili dnia. Towarzyszy nam wszędzie i w pewien sposób stanowi część naszego istnienia.

Pragnienie sztuczne, właściwe rodzajowi ludzkiemu, pochodzi z wewnętrznego instynktu, który każe nam szukać w napojach siły nie danej im zgoła przez naturę, a uzyskanej dzięki fermentacji.

Daje ono przyjemność sztuczną raczej, niż jest potrzebą naturalną: pragnienie zaiste nie do ugaszenia, ponieważ napoje, które wypijamy, aby je zaspokoić, tylko na nowo je pobudzają. Ten rodzaj pragnienia przybiera w końcu postać nawyku, rodzi pijaków wszystkich krajów; nie przestają oni pić dopóty, dopóki napoju nie zabraknie albo póki trunek ich nie pokona, czyniąc niezdolnymi do dalszej walki.

Na odwrót, gdy próbujemy ugasić pragnienie czystą wodą, która jest na nie antidotum naturalnym, nigdy nie wypijemy ani łyka ponad potrzebę.

Pragnienie palące jest wówczas, kiedy rośnie potrzeba picia i niepodobna nam zaspokoić pragnienia utajonego.

Nazywa się ten rodzaj pragnienia p a l ą c y m, ponieważ towarzyszy mu palenie języka, suchość podniebienia i rozdzierający żar w całym ciele.

Odczucie pragnienia jest tak żywe, że słowo pragnienie niemal we wszystkich językach jest

synonimem ogromnej i przemożnej pożądliwo-
ści; i tak mówimy o pragnieniu złota, bogactwa,
władzy, zemsty etc.; te określenia nie weszłyby do
języka, gdyby nie wystarczyło raz w życiu zaznać
pragnienia, aby ocenić ich słuszność.

Apetytowi towarzyszy wrażenie przyjemne,
póki apetyt nie przemieni się w głód; pragnienie
nie ucicha ani na chwilę i odkąd go zaznaliśmy,
zjawia się niepokój, lęk, a jest to lęk okropny, gdy
brak nadziei, że zostanie zaspokojony.

W słusznej za to nagrodzie picie w pewnych
okolicznościach może dać nam niezwykle żywą
przyjemność, a kiedy ugasimy wielkie pragnienie
lub przy pragnieniu umiarkowanym wypijemy jakiś
wyborny napój, ożywa cały organizm.

Znacznie też szybciej umiera się z pragnienia
niż z głodu. Przykłady pouczają, że ludzie mając
wodę, mogą pozostać bez jedzenia przez osiem
dni i dłużej, gdy całkowicie pozbawieni napojów
nie przetrwają nigdy piątego dnia.

Różnica polega na tym, że w pierwszym wypadku człowiek umiera z wyczerpania albo osłabienia, podczas gdy w drugim spala go i zabija gorączka.

Nie zawsze można znosić tak długo pragnienie; w 1787 umarł pewien Szwajcar z gwardii Ludwika XVI, ponieważ nie pił przez dwadzieścia cztery godziny.

Ów Szwajcar był w szynku ze swymi kamratami; w momencie kiedy zażądał, by napełniono mu szklankę, któryś z nich powiedział, że pije częściej od innych i nie potrafi się powstrzymać ani na chwilę.

Na co on założył się, że przez dwadzieścia cztery godziny nie weźmie ani kropli do ust; wygraną miało być dziesięć butelek wina.

Od tej chwili gwardzista przestał pić, choć jeszcze przez dwie godziny pozostał w szynku.

Noc minęła mu dobrze, w co łatwo uwierzyć; ale ledwo dzień nastał, wydało mu się rzeczą nieznośną, że nie może wypić kieliszka wódki, jak to miał w zwyczaju.

Przez cały ranek był niespokojny i nieswój; kręcił się, wstawał i siadał bez powodu, i wyglądał tak, jakby nie wiedział, co ze sobą począć.

O pierwszej położył się myśląc, że to przyniesie mu ulgę; cierpiał, był naprawdę chory; na próżno zachęcano go, żeby się czegoś napił; twierdził, że wytrzyma do wieczora; postanowił dokonać swego, honor żołnierza także nie zezwalał dać za wygraną.

Wytrwał do siódmej wieczór; ale o wpół do ósmej poczuł się bardzo źle, zaczęła się agonia i wyzionął ducha niezdolny wypić szklanki podanego mu wina.

Dowiedziałem się tych szczegółów od imć Schneidera – który w owej kompanii szwajcarskiej był trębaczem – gdym mieszkał u niego w Wersalu.

Przyczyny pragnienia

Rozmaite przyczyny, razem albo z osobna, mogą zwiększyć pragnienie. Wymienimy kilka z nich, które nie pozostały bez wpływu na nasze obyczaje.

Upał powiększa pragnienie; dlatego ludzie chętnie mieszkają nad brzegami rzek.

Prace fizyczne powiększają pragnienie; dlatego pracodawcy pokrzepiają swoich robotników napojami; skąd wywodzi się porzekadło: wino robotnikom dane zawsze jest najlepiej sprzedane.

Taniec powiększa pragnienie; dlatego na balach roznosi się napoje wzmacniające lub odświeżające.

Przemowa powiększa pragnienie; stąd owa szklanka wody, którą wszyscy lektorzy starają się wypijać z wdziękiem i którą wkrótce już zobaczymy na skraju kazalnicy obok białej chustki[8].

Rozkosze ciała powiększają pragnienie; stąd poetyczne opisy Cypru, Knidos i innych miejsc za-

---

[8] Kanonik Délestra, nader przyjemny kaznodzieja, nie zapominał nigdy o przełknięciu kandyzowanego orzecha w chwili przerwy pomiędzy poszczególnymi punktami swego kazania, którą pozostawiał wiernym na kaszel, plucie i wycieranie nosów (Przyp. aut.).

mieszkanych przez Wenus, gdzie nigdy nie brak lubego cienia ani krętych, mile szemrzących strumieni.

Śpiew powiększa pragnienie; stąd powszechne mniemanie, że muzycy są niezmożeni w piciu. Sam będąc muzykiem, powstaję przeciw temu przesądowi, w którym nie ma dziś ani ziarnka prawdy.

Artyści, którzy pojawiają się w naszych salonach, piją z równą powściągliwością jak rozsądkiem; ale to, co stracili na piciu, odbijają sobie na jedzeniu, jako że są to smakosze do potęgi. Fama głosi, że w świecie Wyższej Harmonii dzień świętej Cecylii nieraz bywał czczony dłużej aniżeli przez dwadzieścia cztery godziny.

O napojach

Przez napój rozumiemy wszelki płyn, który możemy dołączyć do naszych pokarmów.

Woda jest napojem najbardziej naturalnym. Można ją znaleźć wszędzie, gdzie są zwierzęta, ludziom dorosłym zastępuje mleko i jest równie niezbędna jak powietrze.

Woda jest jedynym napojem, który naprawdę gasi pragnienie; dlatego możemy ją pić jedynie w małych ilościach. Większość innych likworów, których używa człowiek, to tylko paliatywy, i gdyby był poprzestał na wodzie, nie powiedziano by o nim nigdy, że jednym z jego przywilejów jest pić nie czując pragnienia.

Woda

Organizmy przyswajają napoje z największą łatwością; ich działanie jest szybkie, ulga następuje niemal natychmiast. Podajcie zmęczonemu człowiekowi pokarmy najbardziej treściwe, będzie jadł z trudem i zrazu nie zrobią mu dobrze. Dajcie mu kieliszek wina albo wódki, a natychmiast poczuje się lepiej i zobaczycie, jak odżyje.

Szybkie działanie napojów

Tę teorię mogę wesprzeć faktem dość godnym uwagi, o którym wiem od mego siostrzeńca, pułkownika Guignard, z natury niezbyt skłonnego do opowiadań, prawdomównego wszakże ponad wątpliwość.

Stał on na czele oddziału wracającego z oblężenia Jafy; znajdowali się już w odległości kilku sążni od miejsca, gdzie spodziewano się wody, kiedy na drodze zobaczyli ciała kilku żołnierzy, którzy zapewne wyprzedzili ich o dzień marszu i padli z gorąca.

Wśród ofiar tego palącego klimatu znajdował się pewien karabinier, którego znało wielu ludzi z oddziału. Nie żył już chyba od dwudziestu czterech godzin i miał od nieustającego żaru słonecznego twarz czarną jak kruk.

Kilku kamratów podeszło do karabiniera, czy to by spojrzeć na niego po raz ostatni, czy żeby odziedziczyć po nim to, co mógł pozostawić w spadku, i zdumiało się widząc, że jeszcze nie całkiem zesztywniał, a wokół serca tli się trochę ciepła.

„Dajcie mu kroplę wściekłego psa, powiedział wesołek z oddziału; słowo daję, że jeśli nie zawędrował jeszcze daleko na tamtym świecie, powróci, żeby się napić".

W istocie, przy pierwszej łyżce trunku martwy otworzył oczy; krzyk buchnął wokół, zaczęto rozcierać mu skronie, dano mu jeszcze odrobinę do przełknięcia i po kwadransie przy pewnej pomocy potrafił utrzymać się na ośle.

Tak dojechał do źródła; pielęgnowano go przez noc, do zjedzenia dostał kilka daktyli, karmiono go z wielką ostrożnością; nazajutrz wraz z innymi ruszył na swoim ośle do Kairu.

Mocne napoje

Rzeczą wielce godną uwagi jest ów rodzaj instynktu, równie powszechny jak wszechwładny, który wiedzie nas ku mocnym napojom.

Wino, napój najmilszy ze wszystkich – czy zawdzięczamy go Noemu, który pierwszy zasadził winną latorośl, czy Bachusówi, który wytłoczył sok z winogron – sięga dziecięctwa świata; piwo zaś, które przypisuje się Ozyrysowi, narodziło się w czasach jeszcze odleglejszych; o tym, co było wcześniej, nic pewnego nie wiemy.

Wszyscy ludzie, nawet ci, których nazywamy dzikimi, pożądali tak bardzo mocnych napojów, że potrafili je robić, jakkolwiek ograniczona była ich wiedza.

Kwasili mleko zwierząt domowych; wyciskali sok z rozmaitych owoców i korzeni, o których sądzili, że nadają się do fermentacji; jakoż wszędzie, gdzie napotkać można ludzi żyjących w społecznościach, posiadają oni mocne likwory: używają ich przy ucztach, składaniu ofiar, ślubach, pogrzebach i tym wszystkim, co jest dla nich świętem albo uroczystością.

Ludzie pili i opiewali wino przez wiele wieków, ani spodziewając się, że można z niego wydobyć ekstrakt stanowiący o jego mocy; ale odkąd Arabowie nauczyli nas sztuki destylowania, którą odkryli, aby móc wydzielić zapach z kwiatów, a zwłaszcza z róży, tak czczonej w ich pismach, pojawiła się możliwość odsłonięcia przyczyny owego szczególnego podniecenia, jakie wywołuje wino, i jego działania pobudzającego organy smaku; i tak krok po kroku odkryto alkohol, spirytus i wódkę.

Alkohol jest królem wśród likworów i pobudza w najwyższym stopniu: rozmaite jego zastosowania otwarły nowe źródła przyjemności; pewnym lekom przydaje mocy, której nie mogłyby czerpać skądinąd; w naszych rękach stał się nawet potężną bronią, ponieważ narody Nowego Świata w takim samym niemal stopniu zostały ujarzmione i wytępione przez wódkę, jak przez broń palną.

Metoda, która pozwoliła odkryć alkohol, doprowadziła również do innych ważnych rezultatów; ponieważ polega ona na wydzieleniu i wyodrębnieniu pewnych cząstek ciała, odróżniających to ciało od wszystkich innych, mogła posłużyć za wzór dla podobnych poszukiwań, dzięki którym poznaliśmy zupełnie nowe substancje, jak chininę, morfinę, strychninę i podobne, oraz możemy się spodziewać dalszych odkryć.

Jakkolwiek rzeczy się mają, pragnienie likworu utajonego przez naturę, ta niezwykła pożądliwość występująca u wszystkich ras, w każdym klimacie i przy każdej temperaturze, godna jest uwagi obserwatora-filozofa.

Rozmyślałem o tym, podobnie jak inni, i skłonny jestem umieścić pożądanie sfermentowanych płynów, nieznane zwierzętom, obok troski o przyszłość, także im obcej, oraz uważać obie za cechy wyróżniające arcytwór, który pojawił się po ostatnim przewrocie w universum.

O smakoszostwie

Przejrzałem słowniki, szukając wyjaśnień terminu smakoszostwo i zgoła nie byłem rad z rezultatów. Panuje tu nieustające pomieszanie smakoszostwa we właściwym rozumieniu z obżarstwem i żarłocznością; z czego wywodzę, że słownikarze, skądinąd wielce godni szacunku, nie należą do tych miłych uczonych, co z gracją potrafią ogryźć skrzydełko kuropatwy, za czym, uniósłszy lekko mały palec, wypić szklaneczkę Laffitte'a lub Vougeota.

Zapomnieli, zapomnieli ze szczętem, czym w życiu towarzyskim jest smakoszostwo, łączące wykwint ateński, zbytek rzymski i subtelność francuską; za jego sprawą uczta zadysponowana rozumnie, przygotowana umiejętnie, zostaje spożyta ze smakiem i oceniona głęboko; przymiot cenny, który mógłby być cnotą, a na pewno jest – co najmniej – źródłem naszych najczystszych radości.

Definicje

Poszukajmy więc definicji i dojdźmy do porozumienia.

Smakoszostwo jest to namiętna, wyrozumowana i przyzwyczajeniem utwierdzona skłonność do przyznawania pierwszeństwa rzeczom dogadzającym smakowi.

Smakoszostwo jest wrogiem nadużycia: obżartuch i pijak tracą kontrolę nad sobą.

Przez smakoszostwo rozumiemy również upodobanie do łakoci, a więc do dań nieobfitych, lekkich, delikatnych, do konfitur, ciastek etc. Ta odmiana smakoszostwa jest dziedziną kobiet i mężczyzn do nich podobnych.

Pod jakimkolwiek względem będziemy rozpatrywać smakoszostwo, zasługuje ono tylko na pochwałę i zachętę.

Pod względem fizycznym jest ono rezultatem i dowodem doskonałego zdrowia organów trawiennych.

Pod względem moralnym jest utajonym poddaniem się woli Stwórcy, który nakazawszy nam jeść, abyśmy mogli żyć, dał nam dla zachęty apetyt, utwierdził go smakiem i wynagrodził przyjemnością.

Zgodnie z traktatem z listopada 1815 roku Francja musiała zapłacić aliantom siedemset pięćdziesiąt milionów w trzy lata.

Ponadto trzeba było zaspokoić żądania mieszkańców poszczególnych krajów; zgromadzeni monarchowie obliczyli wysokość tych odszkodowań na sumę przeszło trzystu milionów.

Dodajmy do tego najrozmaitszych rodzajów rekwizycje w naturze, praktykowane przez nieprzyjacielskich dowódców, którzy ładowali furgony i słali je ku granicom; skarb publiczny musiał pokryć te szkody później, co wyniosło ponad sto pięćdziesiąt milionów.

Można było, a nawet należało się obawiać, że sumy tak poważne, spłacane dzień po dniu gotówką, skarb doprowadzą do nędzy, obniżą wartość walorów, co stanie się przyczyną wszelakich nieszczęść, grożących krajowi bez pieniędzy i bez środków, aby je zdobyć.

– Ach – mówili zacni ludzie, widząc złowieszczy wóz, który miano załadować przy ulicy Vivienne – ach, oto nasze pieniądze uciekają hurmą; w przyszłym roku człowiek będzie klęczał przed dukatem; żałosna ruina nas czeka; wszelkie przedsięwzięcie jest bez przyszłości; nie będzie skąd pożyczać; przed nami suchoty, uwiąd, śmierć cywilna.

Rzeczywistość zadała kłam tym obawom; ku wielkiemu zdumieniu tych, co zajmują się finansami, zobowiązania spłacono z łatwością, kredyt wzrósł, wykupywano w mig pożyczki i przez cały czas tego odpływu pieniądza kurs wymiany – ten

niezawodny miernik obiegu monetarnego – był dla nas korzystny; mieliśmy zatem dowód artytmetyczny, że więcej pieniędzy do Francji przybywa, niż z niej ubywa.

Jakaż to potęga przyszła nam w pomoc? Jakie bóstwo dokonało tego cudu? Smakoszostwo.

Kiedy Bretonowie, Germanowie, Teutonowie, Kimerowie i Scytowie wtargnęli do Francji, okazało się, że odznaczają się obżarstwem wyjątkowym i pojemnością żołądków zaiste niespotykaną.

Niedługo zadowalali się jadłem, którego z przymusowej gościnności musiano im dostarczać; zapragnęli potraw delikatniejszych w smaku; i wkrótce królowa miast zamieniła się w ogromny refektarz. Intruzi jedli w restauracjach, w traktierniach, w zajazdach, w szynkach, w kramach, a nawet na ulicach.

Opychali się mięsem, rybami, dziczyzną, truflami, ciastkami, a zwłaszcza naszymi owocami.

Pili z nienasyceniem równym ich apetytowi i żądali zawsze najdroższych win, spodziewając się znaleźć w nich rozkosze niesłychane, za czym zdumiewali się, zgoła ich nie znajdując.

Powierzchowni obserwatorzy nie wiedzieli, co myśleć o tym obżarstwie, za którym nie stał głód i któremu nie było końca; ale prawdziwi Francuzi śmiali się i zacierali ręce, mówiąc: „Patrzcie, są jak zaczarowani i wieczorem zwrócą nam więcej dukatów, niż skarb publiczny wypłaci im jutro".

Czas ten sprzyjał wszystkim, którzy zaspokajali potrzeby smaku; Véry zaokrąglił posiadaną fortunkę; Achard zaczął zbijać swoją; trzecim z kolei był Beauvilliers, a pani Sullot, której sklepik w Palais-Royal nic miał dwóch kwadratowych sążni, sprzedawała dziennie dwanaście tysięcy pasztecików.

Czar trwa jeszcze: cudzoziemcy napływają ze wszystkich stron Europy, by w czas pokoju odświeżyć przyzwyczajenia, jakich nabrali w czas wojny; niechajże przyjeżdżają do Paryża; a kiedy już są, niech raczą się za każdą cenę. Jeśli nasze walory są w łaskach, zawdzięczamy to w mniejszym stopniu ich wartości aniżeli instynktownemu zaufaniu, jakie musi budzić naród, gdzie smakosze są szczęśliwi.

Smakoszostwo zgoła nie wadzi kobietom; odpowiada delikatności ich organów i jest im nagrodą za pewne przyjemności, których muszą się wyrzec, i za pewne przykrości, na jakie skazała je natura.

Nie ma milszego widoku jak urocza łakomczucha pod bronią: serwetka ułożona powabnie; jedna ręka spoczywa na stole; druga podnosi do ust małe, wykwintnie pokrojone kąski albo skrzydełko kuropatwy; oczy jej błyszczą, usta połyskują, rozmawia mile, ruchy ma wdzięczne; i nie brak jej tej odrobiny kokieterii, którą kobiety kładą we wszystko. Z tylu przewagami łakomczucha jest nieodparta; sam Katon Cenzor musiałby jej ulec.

Portret uroczej łakomczuchy

Anegdota

Tu jednak muszę przytoczyć gorzkie wspomnienie.

Pewnego razu siedziałem przy stole obok powabnej pani M. i cieszyłem się w duchu z tak miłego sąsiedztwa, gdy ona zwracając się do mnie rzecze: „Pańskie zdrowie!". Zacząłem jej dziękować z wylaniem, ale jeszcze nie skończyłem, kiedy kokietka już mówi do swego sąsiada z lewej: „Pijmy!...". Trącili się kieliszkami i ta nagła odmiana zdała mi się zdradą; poczułem ranę w sercu, którą do dziś jeszcze noszę, choć tyle upłynęło już lat.

Kobiety są smakoszkami

Skłonność płci pięknej do smakoszostwa ma w sobie coś instynktownego, ponieważ sprzyja ono urodzie.

Obserwacje dokładne i ścisłe dowiodły, że dieta pożywna, delikatna i starannie ułożona oddala na długo starość.

Gdy taką dietę stosować, oko bardziej błyszczy, cera ma więcej świeżości, a mięśnie są mocniejsze; ponieważ fizjologia daje nam pewność, że zwiotczenie mięśni jest przyczyną zmarszczek – tych

niebezpiecznych wrogów urody – prawdą będzie powiedzieć, iż kobiety, co umieją jeść, są o dziesięć lat młodsze od tych, co sztuki tej nie znają.

Malarzom i rzeźbiarzom owa prawda zgoła nie jest obca, nigdy bowiem nie przedstawiają ludzi, którzy odmawiają sobie jedzenia z zamiaru czy obowiązku – jak skąpcy i anachoreci – żeby nie przydać im chorobliwej bladości, chudości nader żałosnej i zmarszczek zgrzybiałego wieku.

Smakoszostwo jest podporą życia towarzyskiego; ono stopniowo poszerza krąg gościnności, dzięki której spotykają się ludzie rozmaitego stanu, ożywia konwersację i zaciera umowną nierówność.

Wpływ smakoszostwa na życie towarzyskie

Ono też uzasadnia trudy, jakie winien sobie zadać każdy gospodarz, by móc dobrze podjąć gości, i tłumaczy wdzięczność tych ostatnich, kiedy widzą, że zadbano o nich umiejętnie. Tu trzeba nam raz na zawsze okryć hańbą owych głupich zjadaczy, co ze zbrodniczą obojętnością połykają najświetniejsze kąski albo ze świętokradczym roztargnieniem leją w siebie pachnący i przejrzysty nektar.

Prawo ogólne.* Każda realizacja wysokiej miary żąda jasno wyrażonej pochwały, zaś delikatne a pochlebne słowo wymagane jest wszędzie tam, gdzie widać chęć, aby dogodzić.

Smakoszostwo wreszcie, kiedy jest podzielane, ma wielki wpływ na szczęście w związku małżeńskim.

Wpływ smakoszostwa na szczęście małżeńskie

Małżonkowie lubiący smacznie jadać mają przynajmniej raz na dzień okazję miłego spotkania; albowiem ci, co nie dzielą łoża (a wielu jest takich), jedzą przecież przy jednym stole; tematu do rozmowy nigdy im nie zabraknie: mówią nie tylko o tym, co jedzą, ale i o tym, co jedli, co będą jeść, co widzieli u innych, o modnych potrawach, nowych pomysłach etc., a wiadomo, ile mają uroku poufałe rozmowy (*chit chat*).

Muzyka również ma wielkie powaby dla tych, co się kochają; ale do muzyki trzeba się zabrać, to przecież zajęcie.

Zresztą można być przeziębionym, nieusposobionym, instrumenty bywają rozstrojone, wypadła właśnie migrena, ogarnęło nas lenistwo.

Ta sama jednak potrzeba wzywa małżonków do stołu, ta sama skłonność ich przy nim zatrzymuje; świadczą sobie drobne uprzejmości, które zobowiązują; toteż sposób, w jaki mija posiłek, wiele znaczy dla ich szczęścia w życiu.

Ta obserwacja, dość nowa we Francji, nie uszła uwagi Fieldinga, moralisty angielskiego; rozwinął ją w swojej powieści *Pamela*, opisując, w jak odmienny sposób dwie pary małżeńskie kończą wieczór.

Małżonek pierwszy jest lordem, starszym z braci, a więc właścicielem wszystkich dóbr rodzinnych.

Brat młodszy jest mężem Pameli; wydziedziczony z powodu tego małżeństwa, żyje z półpensji w sytuacji dość bliskiej ubóstwa.

Lord i jego żona wchodzą z dwóch różnych stron, witają się chłodno, choć nie widzieli się przez cały dzień. Siadają przy stole zastawionym wspaniale, otoczeni lokajami kapiącymi od złota, nakładają sobie z półmisków w milczeniu i jedzą bez przyjemności. Wszelako po odejściu służby nawiązuje się między nimi rozmowa; niebawem wkrada się do niej gorycz; rozmowa zamienia się w sprzeczkę, na koniec wstają rozgniewani i odchodzą, każde do własnych apartamentów, by rozmyślać o słodyczach wdowieństwa.

Młodszy brat, na odwrót, ledwo pojawi się w swym skromnym mieszkaniu, przyjęty jest z najczulszą gotowością i słodkimi pieszczotami. Siada przy skromnym stole; ale czy podane potrawy mogą nie być doskonałe? Wszak przyrządziła je sama Pamela! Jedzą więc z przyjemnością, rozmawiając o swoich sprawach, projektach, miłości. Pół butelki madery pozwala przedłużyć posiłek i rozmowę; wkrótce podzielą to samo łoże; po uniesieniach miłości słodki sen każe im zapomnieć o dniu dzisiejszym i śnić będą o lepszym jutrze.

Chwała smakoszostwu, o którym mówimy naszym czytelnikom, jak długo nie odwraca ono człowieka od jego zajęć i od tego, co winien swemu losowi! Bo też tak samo jak rozwiązłość Sardanapala nie przejęła kobiet odrazą do miłości, tak i wybryki Witeliusza nie mogą zniechęcić nikogo do umiejętnie przygotowanej uczty.

O smakoszach

Zdarzają się osoby przez naturę pozbawione subtelnych organów albo tego rodzaju uwagi, bez których najsmakowitsze potrawy nie robią żadnego wrażenia.

Fizjologia rozpoznała pierwszy przypadek i dowiodła, że język tych nieszczęśliwców jest niedostatecznie unerwiony, co sprawia, że nie mogą ocenić smaków. Ich wrażenia są tępe; smak i dla nich jest tym, czym światło dla ślepców.

Drugi przypadek to ludzie roztargnieni albo pochłonięci czym innym, gaduły, zuchwalcy i podobni, którzy chcą zajmować się dwiema rzeczami naraz i jedzą tylko po to, by napełnić sobie brzuch.

Taki był również Napoleon; jadał nieregularnie, szybko i niewłaściwie; ale i w tym widać było niezłomną wolę, jaką okazywał we wszystkim. Ledwie poczuł apetyt, już musiał go zaspokoić i jego służba była gotowa o każdej godzinie i na pierwsze skinienie podać mu drób, kotlety i kawę.

Istnieje wszakże uprzywilejowana klasa ludzi, którzy z przeznaczenia, tak w sensie materialnym, jak i organicznym, powołani są do odczuwania rozkoszy smakowych.

Zawsze byłem zwolennikiem Lavatera i Galla: wierzę w dyspozycje wrodzone.

Skoro zdarzają się ludzie, którzy najwyraźniej przyszli na świat po to, by źle widzieć, źle chodzić, źle słyszeć, ponieważ urodzili się krótkowidzami, kulawcami lub głuchymi, dlaczego miałoby zabraknąć szczególnie usposobionych do doznawania pewnych wrażeń?

Zresztą nawet ten, co nie ma wielkich skłonności do obserwacji, na każdym kroku widzi fizjonomie, na których w sposób niezatarty odcisnęło się dominujące uczucie, na przykład pogardliwa impertynencja, zadowolenie z samego siebie, mizantropia, zmysłowość etc., etc. Doprawdy, wszystko to może być widoczne na byle jakiej twarzy; lecz jeśli fizjonomia ma charakter zdecydowany, pomyłki zachodzą rzadko.

Namiętności działają na mięśnie; bardzo często z twarzy milczącego człowieka można wyczytać nurtujące go uczucia. To napięcie, choć niepowszednie, pozostawia wyraźne ślady i przydaje fizjonomii niezmienny i rozpoznawalny wyraz.

Predestynacja zmysłowa

Smakosze z przeznaczenia są na ogół średniego wzrostu; twarz mają okrągłą albo kwadratową, oczy błyszczące, czoło małe, nos krótki, usta mięsiste i zaokrąglony podbródek. Kobiety są pulchne, raczej ładne niż piękne, i mają niejaką skłonność do otyłości.

Te spośród nich, które przede wszystkim lubią łakocie, mają rysy delikatniejsze, wyraz bardziej subtelny, są milusie i wyróżniają się osobliwie upodobaniem do plotek.

Taki wygląd zapowiada najmilszych współbiesiadników; jedzą wszystko, co im podadzą, bez pośpiechu i smakując z namysłem. Zgoła im niepilno opuścić dom, gdzie byli wybornie podejmowani; można na nich liczyć na cały wieczór, znają bowiem wszystkie gry i rozrywki, dopełniające zazwyczaj spotkanie gastronomiczne.

Ci, na odwrót, którym natura odmówiła zdolności smakowych, mają twarz, oczy i nos długie; jakiegokolwiek będą wzrostu, w ich postaci jest coś wydłużonego. Włosy mają czarne i gładkie i przede wszystkim brak im tuszy: to oni wymyślili obcisłe pantalony.

Kobiety, w tym samym względzie upośledzone przez naturę, są kanciaste, nudzą się przy stole i żyją tylko bon tonem i obmową.

Ta teoria fizjologiczna nie znajdzie, mam nadzieję, wielu przeciwników, każdy bowiem może ją sprawdzić na sobie; wesprę ją wszakże kilku faktami.

Znajdowałem się kiedyś na wielkim proszonym obiedzie; naprzeciw mnie siedziała bardzo ładna osóbka o zdecydowanie zmysłowej twarzy. Pochyliłem się do mego sąsiada i szepnąłem mu, że niepodobna, aby panienka takie mająca rysy nie należała do rasy smakoszy.

– Cóż za szaleństwo! – rzekł w odpowiedzi – ma najwyżej piętnaście lat; to jeszcze nie wiek smakoszostwa... Zobaczymy zresztą.

Początek nie był dla mnie pomyślny; obawiałem się kompromitacji; bo też przy pierwszych dwóch daniach panienka zachowała zdumiewającą powściągliwość i mniemałem, żem trafił na wyjątek, jako że wyjątki zdarzają się przy każdej regule. Ale wreszcie pojawił się deser, równie świetny jak obfity, i przywrócił mi nadzieję. Jakoż nie doznałem rozczarowania: młoda osóbka nie tylko jadła wszystko, co jej podano, ale jeszcze kazała przysuwać sobie półmiski z drugiego końca stołu. Słowem, skosztowała wszystkiego; mój sąsiad zdumiewał się, widząc, ile też może pomieścić taki mały żołądek. Tak oto sprawdziła się moja diagnoza i nauka raz jeszcze odniosła zwycięstwo.

W dwa lata później znów ją spotkałem; była w tydzień po ślubie; rozkwitła prześlicznie; nie brakło jej odrobiny kokieterii; i odsłaniając to wszystko, na co zezwala moda, była zachwycająca. Jej mąż godzien jest wizerunku: przypominał mi pewnego brzuchomówcę, który potrafił śmiać się jedną stroną twarzy i płakać drugą. Inaczej mówiąc, zdawał się bardzo rad z podziwu, jaki okazywano jego żonie; ale gdy tylko spostrzegł, że ktoś podziwia ją za bardzo, przebiegał go wyraźny dreszcz zazdrości. Ta zazdrość odniosła zwycięstwo; wywiózł żonę do jakiegoś odległego departamentu i na tym kończy się dla mnie jej biografia.

Podobną cechę zauważyłem ongi u księcia Decrés, który przez czas dłuższy był ministrem marynarki.

Jak wiadomo, był to człowiek tęgi, krótki, kwadratowy, o włosach czarnych i kędzierzawych; twarz miał co najmniej okrągłą, brodę zadartą, grube wargi i usta olbrzyma; z miejsca więc obwołałem go urodzonym amatorem dobrego jedzenia i pięknych kobiet.

Tę uwagę fizjonomiczną szepnąłem do ucha pewnej bardzo ładnej i, jak sądziłem, dyskretnej damie. Jakiż błąd, niestety! Była to córka Ewy i mój sekret mógłby ją udusić. Jeszcze tego samego wieczora jego ekscelencja wiedział o naukowym wniosku, jaki wyciągnąłem z jego wyglądu.

Powiadomił mnie o tym nazajutrz nader miły list księcia, w którym utrzymywał ze skromnością, że nie posiada żadnej z obu zalet, skądinąd tak szacownych, jakie mu przypisałem.

Nie uważałem się zgoła za pokonanego. Odparłem, że natura nie czyni nic na próżno; że ukształtowała go niewątpliwie dla pewnych celów, on zaś ich nie spełniając, sprzeciwia się jej życzeniom; że zresztą nie mam żadnego prawa do podobnych poufałości etc., etc.

Na tym urwała się korespondencja; ale niedługo potem cały Paryż dowiedział się z dzienników o niezapomnianej batalii, jaką minister stoczył ze swoim kucharzem, batalii długiej, zaciętej, w której jego ekscelencja nie zawsze był górą. Otóż, jeśli po awanturze tego rodzaju kucharza nie odprawiono (a nie odprawiono), mogę, jak się zdaje, wyciągnąć wniosek, że książę był w sposób absolutny zdominowany przez talenty tego artysty, a nie spodziewał się, by mógł znaleźć innego, który w równym stopniu potrafiłby mu dogodzić; w przeciwnym razie nigdy nie pokonałby całkiem naturalnego wstrętu, jaki musiał odczuwać do sługi o usposobieniu tak wojowniczym.

Kiedy kreśliłem te linie w pewien piękny wieczór zimowy, pan Cartier, ongi pierwszy skrzypek Opery i umiejętny preceptor, zjawił się u mnie i zasiadł przy kominku. Pochłonięty moim przedmiotem, przyglądałem mu się z uwagą:

– Drogi profesorze – powiedziałem – jak to się dzieje, że nie jest pan smakoszem, mając wszystkie rysy smakosza?

– Byłem nim kiedyś, i to bardzo wielkim – odparł – ale się tego wyrzekłem.

– Czyżby z rozsądku? – zapytałem.

Nie otrzymałem odpowiedzi, usłyszałem tylko westchnienie, całkiem w stylu Walter Scotta, to znaczy podobne do jęku.

Smakosze z urzędu

Jeśli są smakosze z przeznaczenia, są też smakosze z urzędu. Tu winienem przytoczyć cztery wielkie teorie: dotyczą one finansistów, lekarzy, literatów i dewotów.

Finansiści

Finansiści to bohaterowie smakoszostwa. B o - h a t e r jest tu właściwym słowem, ponieważ toczyły się wielkie boje; arystokracja rodowa zgniotłaby finansistów ciężarem swoich tytułów i tarcz herbowych, gdyby ci ostatni nie zdołali jej przeciwstawić wspaniale zastawionych stołów i kas ogniotrwałych. Kucharze walczyli o lepsze z genealogiami i chociaż książęta nie powstrzymywali się od szyderstw jeszcze w goszczącym ich domu, przecież przychodzili i sama ta obecność była świadectwem ich klęski.

Zresztą wszyscy, którzy mają dużo pieniędzy i którym przychodzą one łatwo, nieodzownie niemal muszą być smakoszami.

Nierówność warunków pociąga za sobą nierówność fortuny, ale nierówność fortuny nie prowadzi do nierówności potrzeb; komuś, kto mógłby codziennie wydać obiad na sto osób, często wystar-

cza udko kurczęcia. Kunszt zatem musi przywołać wszystkie swoje sposoby, aby ożywić cień apetytu daniami, co umocnią go bez szkody i pobudzą, miast zagasić. Tak oto Mondor stał się smakoszem i smakosze ze wszystkich stron pospieszyli do niego.

Toteż wśród różnych przepisów, jakie zawierają podstawowe książki kucharskie, zawsze jest kilka noszących określenie: *à la financière*. I jest rzeczą wiadomą, że to nie król, ale poborcy królewscy *ancien régime'u* jadali pierwszy młody groszek, które to danie kosztowało osiemset franków.

Nie inaczej jest w naszych czasach: na stołach poborców królewskich pojawia się nadal to wszystko, co natura ma najdoskonalszego, co przedwcześnie rodzą cieplarnie, co sztuką najwyszukańszą przyrządzone; i najbardziej historyczne osobistości nie gardzą tymi ucztami.

Przyczyny innej natury, choć nie mniej potężne, działają na lekarzy: smakoszostwo ich uwiodło i musieliby być ze spiżu, aby oprzeć się sile faktów.

Lekarze

Kochani lekarze są tym lepiej przyjmowani, że znajdujące się pod ich opieką zdrowie jest najcenniejszym z dóbr; toteż są to rozpieszczone dziatki w całym rozumieniu słowa.

Oczekiwani zawsze z niecierpliwością, są witani z wylaniem. Zaprasza ich urocza chora; młoda osóbka im nadskakuje; ojciec, mąż, powierzają im to, co mają najdroższego. Nadzieja podbiega do nich z jednej strony, wdzięczność z drugiej; karmią ich z ręki jak gołębie; oni przystają i nie mija pół roku, gdy są smakoszami nieodwracalnie (*past redemption*).

Ośmieliłem się to powiedzieć pewnego razu przy obiedzie, któremu patronował doktor Corvisart, ja zaś figurowałem tam jako dziewiąty. Było to około 1806 roku.

– Jesteście – zawołałem natchnionym głosem purytańskiego kaznodziei – jesteście ostatnimi z cechu, który ongi ogarniał całą Francję. Niestety! nie ma już tych ludzi, zginęli albo się rozproszyli; nie ma poborców królewskich, księży, kawalerów, mnichów; dziś w was tylko nadzieja. Nieście wytrwale to wielkie brzemię, choćby czekał was los owych trzystu Spartan pod Termopilami.

Rzekłem i nie podniosło się słowo sprzeciwu; za czym zabraliśmy się do dzieła, aby znalazła potwierdzenie prawda.

Podczas tego obiadu zauważyłem rzecz godną odnotowania.

Doktor Corvisart, który gdy zechciał, potrafił być nader miły, pił tylko szampana z lodem. Jakoż od samego początku, kiedy inni biesiadnicy jedli, zachowywał się hałaśliwie, mówił dużo, sypał anegdotami. Przy deserze natomiast, kiedy rozmowa zaczęła się ożywiać, spoważniał, umilkł i chwilami zdawał się ponury.

Z tej obserwacji oraz podobnych, wywiodłem twierdzenie następujące: Szampan, który zrazu działa pobudzająco (ab initio), odrętwia potem (in recessu); oczywisty to rezultat zawartego w nim gazu węglowego.

W królestwie gastronomii departament literatów mieści się tuż obok departamentu lekarzy.

Za panowania Ludwika XIV literaci byli pijakami; szli za modą i pamiętniki z owych czasów są pod tym względem prawdziwie budujące. Dzisiaj są smakoszami, co zawsze jest lepiej.

Daleki jestem od poglądu cynika Geoffroy, który powiadał, że jeśli dziełom dzisiejszym brak siły, to dlatego że autorzy piją wyłącznie słodzoną wodę.

Myślę, na odwrót, że pomyłka jest podwójna: Geoffroy błędnie ocenił i fakt, i konsekwencję.

Epoka nasza jest bogata w talenty; szkodzą sobie może jedynie mnogością; ale potomność, która oceniać będzie z większym spokojem, dostrzeże niejedną rzecz godną podziwu: tak my sami oddaliśmy sprawiedliwość arcydziełom Racine'a i Moliera zimno przyjętym przez współczesnych.

Nigdy pozycja literatów w społeczeństwie nie była bardziej przyjemna. Nie przebywają już w podniebnych regionach, co zarzucano im niegdyś; dziedziny literatury stały się bardziej żyzne; fale płynące ze źródła Hippokrene niosą płatki złota; równi innym, nic słyszą już protekcjonalnego języka, ukoronowaniem zaś wszystkiego są łaski, którymi darzy ich smakoszostwo.

Literaci są zapraszani, ponieważ ich talenty są w estymie, ponieważ rozmowie potrafią przydać pikanterii, a także dlatego że od pewnego czasu każde towarzystwo ma z reguły swojego literata.

Ci panowie zjawiają się zawsze z pewnym opóźnieniem, co spotyka się z najlepszym przyjęciem, jako że są upragnieni; podsuwa się im najlepsze kąski, żeby zechcieli przyjść znowu, raczy najwyborniej, żeby mogli błysnąć; a że to wszystko zdaje im się bardzo naturalne, nabierają przyzwyczajenia, stają się, są i będą smakoszami.

Rzeczy nawet zaszły tak daleko, że niejakie wynikło stąd zgorszenie. Kilku pedantów orzekło, że pewne śniadania okazały się uwodzicielskie, że przyczyną pewnych promocji były pewne pasztety i że świątynię nieśmiertelności można otworzyć za pomocą widelca. Ale są to oszczerstwa; złośliwe pogłoski poszły w niepamięć, jak to zwykle bywa, i nader słusznie; wspominam zaś o tym tylko dlatego, aby dowieść, że wiem o wszystkim, co dotyczy mojego przedmiotu.

Dewoci

Smakoszostwo wreszcie liczy wśród swoich najwierniejszych wyznawców wielu dewotów.

Słowo dewoci rozumiemy tak samo jak Ludwik XIV i Molier, za dewotów uważając ludzi, których religia polega wyłącznie na praktykach zewnętrznych; dewocja nie ma nic wspólnego z pobożnością i miłosierdziem.

Zobaczmy tedy, jak na dewotów spływa powołanie. Wśród ludzi pragnących zbawienia najwięcej szuka do niego ścieżki najwygodniejszej; ci, co wybierają samotność, śpią na twardym łożu i noszą włosiennicę, zawsze byli i muszą być wyjątkami.

Otóż są rzeczy niedwuznacznie godne potępienia, na które dewot nigdy nie może sobie pozwolić, jak bal, spektakle, gra i inne rozrywki w tym rodzaju.

Gdy do takich rozrywek dewoci czują odrazę, podobnie jak do ludzi, co z nich korzystają, smakoszostwo jawa się i wślizguje pod postacią zgoła teologiczną.

Z prawa boskiego człowiek jest królem natury i wszystko, co rodzi ziemia, dla niego zostało stworzone. To dla niego tłuścieje przepiórka, dla niego

mokka ma tak rozkoszny zapach, dla niego cukier tak sprzyja zdrowiu.

Jak więc nie korzystać, przynajmniej ze stosownym umiarem, z dóbr, które ofiarowuje nam Opatrzność, zwłaszcza jeśli nadal będziemy uważać je za przemijające i jeśli wdzięczność nasza dla ich Stwórcy będzie tym większa?

Racje niemniej ważkie przyjdą z pomocą wymienionym. Czy można zbyt dobrze przyjmować tych, co kierują naszymi duszami i utrzymują nas na drodze wiodącej do zbawienia? Czy owe spotkania, których cel tak jest wyborny, nie powinny być miłe, a więc i częste?

Niekiedy ozdoby stołu przybywają wcale nieszukane: ten przywołuje szkolne wspomnienie, ów potwierdza starą przyjaźń, penitent daje dowód pokory, krewny się poleca, protegowany dziękuje. Jakże odrzucić te dary? Jak ich nie przyjąć? Toż to prosta konieczność.

Zresztą rzeczy zawsze toczyły się taką koleją:

Klasztory były prawdziwymi magazynami najsmakowitszych łakoci; dlatego pewni amatorzy tęsknią za nimi tak boleśnie[9].

---

[9] Najlepsze likiery francuskie wyrabiano u wizytek w La Côte; wizytki z Niort wymyśliły konfiturę z anżeliki; bardzo ceniona jest marmolada z kwiatu pomarańczy sióstr z Château-Thierry; urszulanki z Belley zaś miały najcudowniejszy przepis na kandyzowane orzechy. Można się obawiać, niestety, że ten przepis zaginął (Przyp. aut.).

Liczne zakony – zwłaszcza bernardyni – doprowadziły do mistrzostwa kunszt gastronomiczny. Kucharze kleru zaszli w tej materii bardzo daleko: kiedy Jego Eminencja, pan de Pressigny (zmarły arcybiskup Besançon) powrócił z konklawe, które wybrało Piusa VI, opowiadał, że najlepszy obiad, jaki jadł w Rzymie, wydał generał kapucynów.

Kawalerowie orderów i księża

Nie moglibyśmy lepiej zakończyć tego rozdziału niż chwalebną wzmianką o dwóch korporacjach, które oglądaliśmy w całej ich glorii, a które zniknęły za rewolucji; to kawalerowie orderów i księża.

Cóż to byli za smakosze, ci kochani ludzie! Niepodobna było się omylić, widząc ich szerokie nozdrza, wytrzeszczone oczy, błyszczące wargi, ruchliwe języki; jednakże każda z tych grup miała swój odrębny styl jedzenia.

Kawalerowie trzymali się prosto, na sposób wojskowy; danie nakładali sobie z godnością, pracowali w spokoju i poziomo przenosili spojrzenia wyrażające aprobatę z pana na panią domu.

Księża, na odwrót, zwijali się niemal w kłębek, żeby być bliżej talerza; prawą rękę zaokrąglali na kształt łapki kota, który wyciąga kasztany z ognia; ich fizjonomie lśniły rozkoszą, w spojrzeniu mieli zaś ten rodzaj skupienia, który łatwiej zrozumieć niż opisać.

Długie życie czeka smakoszy

Dzięki moim ostatnim lekturom jestem prawdziwie szczęśliwy, mogąc oznajmić czytelnikom dobrą nowinę, tę mianowicie, że smakowite jedzenie bynajmniej nie szkodzi zdrowiu i że w takich samych warunkach smakosze żyją dłużej od innych ludzi. Jest to arytmetycznie dowiedzione w wybornie opracowanym memoriale, który doktor Villermet odczytał niedawno w Akademii Nauk.

Doktor Villermet porównał ludzi rozmaitego stanu, którzy odżywiają się dobrze, z tymi, którzy

odżywiają się źle – na wszystkich szczeblach społecznych. Porównał również ze sobą rozmaite dzielnice Paryża o większej czy mniejszej zamożności, a wiadomo, że pod tym względem istnieją skrajne różnice, na przykład między przedmieściem Saint--Marceau i Chaussée-d'Antin.

Rozszerzył wreszcie swoje badania na departamenty Francji i pod tym względem porównał mniej i bardziej żyzne: w rezultacie stwierdził, że śmiertelność zmniejsza się w proporcji do wzrostu środków pozwalających odżywiać się dobrze; ci zatem, których los skazał na nędzne jadło, mogą być przynajmniej pewni, że śmierć szybciej ich od tego nieszczęścia uwolni.

Z badań dotyczących wypadków krańcowych wynika, że w warunkach najbardziej sprzyjających umiera rocznie jeden człowiek na pięćdziesięciu, gdy w nędzy jeden na czterech.

Co nie znaczy, że ci, co odżywiają się najlepiej, nigdy nie chorują; niestety, zdarza im się niekiedy zapadać i medycyna określa ich jako dobrych chorych; ponieważ jednak więcej mają witalności, a organizm sprawniejszy, natura bardziej może im przyjść z pomocą i nieporównanie lepiej opierają się destrukcji.

Ta prawda fizjologiczna znajduje również potwierdzenie w historii, która nas poucza, że ilekroć wojny, oblężenia i klęski żywiołowe pomniejszały zasoby odżywcze, nieszczęściom tego rodzaju towarzyszyły zawsze choroby zakaźne i znaczny wzrost śmiertelności.

Kasa Lafarge'a, tak dobrze znana paryżanom, na pewno prosperowałaby lepiej, gdyby jej założyciele wzięli w swoich rachubach pod uwagę prawdy doktora Villermeta.

Obliczali oni śmiertelność według tablic Buffona, Parcieu i innych, które ustalono przy wzięciu pod uwagę wszystkich warstw ludności w każdym wieku. Ale ponieważ ci, co lokują kapitały, żeby mieć zapewnioną przyszłość, na ogół nie zaznali niebezpieczeństw wieku dziecięcego, a przywykli jadać regularnie, dobrze i niekiedy obficie, śmierć nie nastąpiła, nadzieje rozwiały się i spekulacje upadły.

Ta przyczyna nie jest zapewne jedyna, ale zasadnicza.

Ostatnią obserwację zawdzięczam profesorowi Pardessus.

Pan du Belloy, arcybiskup Paryża, który żył bez mała sto lat, cieszył się świetnym apetytem; lubił dobre jedzenie i niejeden raz widziałem, jak ożywiała się jego patriarchalna twarz na widok smakowitego dania. Napoleon przy każdej okazji okazywał mu względy i szacunek.

Sprawdziany
gastronomiczne

W rozdziale poprzednim stwierdziliśmy, że ci, co mają więcej pretensji niż praw do zaszczytnego tytułu smakoszy, na widok najlepszych dań zachowują oko posępne i twarz nieożywioną.

Ludzie tacy niegodni są skarbów, których ceny nie znają; postanowiliśmy tedy wymienić dania zasługujące na wysokie względy, gdyż ta ważna wiedza przyniesie pożytek tak amfitrionom, jak i tym, których oni goszczą.

Zabraliśmy się do tego zadania z wytrwałością, której uwieńczeniem jest sukces; dzięki niej możemy czcigodnym amfitrionom przedstawić s p r a w-d z i a n y g a s t r o n o m i c z n e, nowość, która okryje chwałą wiek dziewiętnasty.

Przez s p r a w d z i a n y g a s t r o n o m i c z n e ro-zumiemy dania o smaku niewątpliwym, o doskonałości tak bezspornej, że samo ich pojawienie się powinno w normalnym człowieku pobudzić wszystkie moce trawienne; tych zatem, którzy nie zdradzają uniesienia, można słusznie uznać za niegodnych udziału w przyjemnościach uczty.

Metoda sprawdzania, należycie zbadana i omówiona na wielkiej radzie, została wpisana do złotej księgi w języku niepodlegającym zmianom:

Uctumque ferculum, eximii et bene noti saporis, appositum fuerit, fiat autopsia conviae; et nisi facies eius ac occuli vertantur ad ecstasim, notetur ut indignus.

Co przełożył, jak następuje, przysięgły tłumacz wielkiej rady:

„Ilekroć zostanie podana potrawa o smaku wybornym i cenionym, należy obserwować uważnie biesiadników i za niegodnych uznać tych wszystkich, których fizjonomie nie wyrażają zachwytu".

Moc sprawdzianów jest względna i winny być przystosowane do możliwości i zwyczajów rozmai-

tych warstw społecznych. Zważywszy wszelkie okoliczności, mają one wywołać podziw i niespodziankę; to dynamometr: siła wzrasta w miarę wznoszenia się ku górnym strefom. Tak więc danie, przeznaczone na stół skromnego rentiera z ulicy Coquenard, nie stanowi sprawdzianu u średniego urzędnika i nie będzie nawet zauważone na obiedzie dla wybranych (*select few*) u bankiera czy ministra.

W wyliczeniu dań wzniesionych do godności sprawdzianów zaczniemy od tych, co mają najmniejsze działanie; za czym stopniowo będziemy przechodzić wzwyż, objaśniając teorię tak, aby każdy nie tylko mógł nią owocnie się posłużyć, ale odkrywać nowe warianty, z tej samej wychodząc zasady, i nadawszy im własne imię, czynić z nich użytek w tej sferze, gdzie umieścił go przypadek.

Przez chwilę myśleliśmy o tym, by przytoczyć tu, jako dowody rzeczowe, sposoby wykonania rozmaitych dań, które określamy mianem sprawdzianów, wszelako poniechaliśmy tego; wydało nam się, że byłoby to z krzywdą dla rozmaitych ksiąg, które ukazały się drukiem, w tej liczbie dziełka Beauvilliersa, a ostatnio *Kucharza nad kucharzami*. Poprzestaniemy na odesłaniu do nich, podobnie jak do prac Viarda i Apperta, dodając, że ten ostatni pomieścił w swojej rozmaite spostrzeżenia naukowej natury, dawniej niepojawiające się w publikacjach tego rodzaju.

Wypada żałować, że publiczność nie mogła skorzystać ze stenogramu posiedzenia rady, na którym roztrząsano kwestię sprawdzianów. Rozważania te osłania mrok tajemnicy; pewien wszakże punkt wolno mi tu przytoczyć.

Jeden z obecnych zaproponował sprawdziany negatywne, sprawdzian przez brak:

Tak więc sprawdzian tego rodzaju działałby wówczas, gdy wskutek przypadku zostałoby zmarnowane wyśmienite danie; gdy kosz z prowiantem wysłany pocztą przyszedłby za późno, co byłoby prawdą lub zmyśleniem; oznajmiając te przykre nowiny, można by zaobserwować i odnotować stopień smutku malujący się na czołach biesiadników i w ten sposób ustalić szczeble wrażliwości gastrycznej.

Ten wszakże projekt, jakkolwiek pociągający na pierwszy rzut oka, nie oparł się głębszej analizie. Przewodniczący zauważył z wielką słusznością, że podobne wydarzenia, które powierzchownie tylko oddziałują na upośledzone organy ludzi obojętnych, mogłyby mieć zgubny wpływ na prawdziwych wyznawców, a nawet przyprawić ich o nagłą śmierć. Mimo więc nalegań ze strony autora projekt odrzucono jednogłośnie.

Wymienimy teraz dania, które uznaliśmy za sprawdziany; podzieliliśmy je na trzy grupy w po-

rządku wstępującym, stosownie do omówionej wyżej metody.

Grupa pierwsza

Domniemany dochód: 5 000 franków. (Średnia zamożność).

Spory zraz cielęcy szpikowany słoniną, we własnym sosie;

indyk wiejski nadziewany kasztanami z Lyonu;

gołębie z ptaszarni tłuste, szpikowane i upieczone w sam raz;

danie z kwaszonej kapusty (*Sauerkraut*) utkane kiełbaskami i przybrane wędzonym boczkiem sztrasburskim;

Formuła: „Tam do licha! dobrze mi to wygląda; nuże, nie dajmy się prosić!".

Grupa druga

Domniemany dochód: 15 000 franków. (Dostatek).

Polędwica wołowa różowa w środku, szpikowana, we własnym sosie;

ćwiartka samy, sos z siekanymi korniszonami;

turbot *au naturel*;

udziec barani *à la provençale*;

indyk nadziewany truflami;

groszek zielony, nowalijka.

Formuła: „Ach, drogi przyjacielu; co za miły widok! Toż to prawdziwa uczta!".

Domniemany dochód: 30 000 franków i więcej.

(Bogactwo).

Sztuka drobiu wagi siedmiu funtów, nadziana perigordzkimi truflami;

ogromny pasztet sztrasburski w kształcie bastionu;

wielki karp reński *à la Chambord*, z bogatym garniturem i przybraniem;

przepiórki nadziewane mózgiem, na grzankach z masłem bazyliowym;

szczupak rzeczny szpikowany, nadziany, w kremie z raków, *secundi artis*;

bażant dojrzały, ze szpikowanym czubem, na grzance, à la Święte Przymierze;

sto szparagów mierzących pół cala w obwodzie, nowalie, sos mięsny;

dwa tuziny ortolanów *à la provençale*, wedle przepisu z dziełka *Sekretarz i kucharz*.

Formuła: „Ach, łaskawy panie, pański kucharz jest niezrównany! Tak jada się tylko u pana!".

Żeby działanie sprawdzianu mogło być pewne, trzeba podać potrawę we względnie dużej ilości; doświadczenie oparte na znajomości ludzi poucza, że rzadkość najbardziej smakowita nie może działać, gdy brak obfitości, pierwsze bowiem wrażenie zahamowane jest przez lęk, że zostaniemy nędznie obsłużeni, a w innych znów sytuacjach zmuszeni do odmowy z grzeczności; co zdarza się często w domach podejmujących nas skąpców.

Niejednokrotnie miałem sposobność przekonać się o działaniu sprawdzianów gastronomicznych; ale wystarczy przytoczyć jeden przykład.

Brałem udział w obiedzie smakoszy czwartej kategorii, w którym uczestniczyli tylko dwaj profani: mój przyjaciel R. i ja.

Po pierwszym wybornym daniu wniesiono między innymi ogromnego, niepokalanego w swej męskości koguta z Barbezieux, nadzianego truflami obficie, oraz pasztet z wątróbek sztrasburskich.

Widok tych dań wywarł na biesiadnikach wrażenie potężne, lecz równie trudne do opisania, jak milczący śmiech, o którym mówi Cooper, i zrozumiałem, że oto okazja do obserwacji.

W rzeczy samej wszelka rozmowa ustała, serca bowiem zbyt były przepełnione błogością; zręczność krojącej asysty skupiła na sobie całe zainteresowanie; i kiedy talerze zostały rozdane, na wszystkich twarzach ujrzałem kolejno ogień pragnienia, ekstazę rozkoszy i doskonały spokój błogości.

O rozkoszach stołu

Ze wszystkich czujących stworzeń na naszym globie człowiek bezspornie doznaje najwięcej cierpień.

Natura skazała go na cierpienie od samego początku, dając mu nagą skórę, szczególny kształt stóp, wojowniczy i niszczycielski instynkt, który towarzyszy rodzajowi ludzkiemu wszędzie, gdzie się pojawi.

Zwierzęta nie zostały dotknięte tym przekleństwem i gdyby nie walki, jakie toczą, powodowane instynktem utrzymania gatunku, cierpienie jako stan naturalny byłoby większości z nich całkowicie nie znane; natomiast człowiek, przyjemności doświadczając tylko przelotnie i dzięki nielicznym swoim organom, zawsze jest wystawiony na straszliwe bóle, które dotknąć mogą każdą część jego ciała.

Ten wyrok losu rozmaite choroby, wynikające ze zwyczajów życia społecznego, uczyniły jeszcze dotkliwszym; toteż najżywsza i najmilsza przyjemność, jaką można sobie wyobrazić, ani swoją intensywnością, ani trwaniem nie zrównoważy okrutnych cierpień towarzyszących pewnym dolegliwościom, jak podagra, wściekły ból zębów, ostry reumatyzm, niewydolność nerek, czy też strasznym torturom praktykowanym przez niektóre ludy.

Ten lęk przed cierpieniem sprawił, że człowiek bezwiednie spieszy w przeciwnym kierunku i oddaje się bez reszty nielicznym rozkoszom, które ofiarowała mu natura.

Z tego samego powodu stara się je powiększyć, przysposobić, przedłużyć; dlatego je wielbi: w czasach pogańskich, przez długie wieki, wszystkie rozkosze były bóstwami drugiego rzędu, nad którymi stały wyższe bogi.

Surowość nowych religii obaliła te bóstwa: Bachus, Amor, Komuś, Diana to dziś tylko poetyczne wspomnienia; ale rzecz trwa nadal i pod rządami wiary mającej najwięcej powagi ludzie ucztują z okazji ślubów, chrzcin, a nawet pogrzebów.

Posiłki w naszym rozumieniu słowa zaczęły się z nadejściem drugiej ery rodzaju ludzkiego, to znaczy wówczas, gdy człowiek przestał żywić się owocami. Cała rodzina musiała być obecna przy sprawianiu i podziale mięsa; ten, co stał na jej czele, rozdzielał pomiędzy dzieci upolowaną sztukę, a dzieci dorosłe robiły to samo, by zwrócić dług starym rodzicom.

Te zgromadzenia, zrazu ograniczone do najbliższych krewnych, z wolna objęły również sąsiadów i przyjaciół.

Później, kiedy ludzie rozplenili się po ziemi, utrudzony podróżny zasiadłszy do prymitywnej uczty opowiadał o tym, co zdarzyło się w odległych okolicach. Tak narodziła się gościnność, święta u wszystkich ludów; nie ma bowiem nacji tak okrutnej, by nie uznała za swój obowiązek uszanować życia tego, z kim dzieliła się chlebem i solą.

Podczas posiłków zapewne narodziły się lub doskonaliły języki, czy to dlatego że posiłki były wciąż nową okazją do spotkań, czy dlatego że swobodne chwile w czasie jedzenia i po nim usposabiają do ufności i rozmowy.

Tak z natury rzeczy wyglądały rozkosze stołu, które trzeba odróżnić od wcześniejszych przyjemności jedzenia.

Przyjemność jedzenia jest doznaniem doraźnym i odpowiadającym potrzebie, którą jedzenie zaspokaja.

Rozkosze stołu są doznaniem przemyślanym, zależnym od miejsca, od rzeczy i osób towarzyszących posiłkowi.

Przyjemność jedzenia jest nam wspólna ze zwierzętami; zakłada jedynie istnienie głodu oraz tego, co może go zaspokoić.

Rozkosze stołu znają wyłącznie ludzie: tu trzeba wpierw pomyśleć o przygotowaniu posiłku, wyborze miejsca i biesiadników.

Przyjemność jedzenia wymaga obecności, jeśli nie głodu, to przynajmniej apetytu; rozkosze stołu najczęściej są niezależne od jednego i drugiego.

Przy pierwszym daniu, gdy zaczyna się obiad, każdy tylko zajada, nie mówiąc nic i nie zwracając uwagi na to, co może być powiedziane; jakiekolwiek miejsce dany człowiek zajmuje w społeczeństwie, zapomina o wszystkim: jest teraz pracownikiem wielkiej przetwórni. Lecz gdy potrzeba została po części zaspokojona, rodzi się myśl, nawiązuje rozmowa, wkracza nowy porządek i ten, co był dotąd jedynie zjadaczem, staje się współbiesiadnikiem mniej lub bardziej przyjemnym, zależnie od zasobów, jakimi obdzielił go Pan wszystkich rzeczy.

Zachwycenia, porywy, uniesienia nie przynależą do rozkoszy stołu; lecz to, co tracimy na intensywności, odzyskujemy dzięki trwaniu; ten rodzaj przyjemności jest też uprzywilejowany o tyle, że usposabia nas do wszystkich innych albo przynajmniej pociesza po ich stracie.

W istocie, po dobrym posiłku ciało i dusza zaznają szczególnej błogości.

W sensie fizycznym mózg się odświeża, twarz rozkwita, barw jej przybywa, oko błyszczy, lube ciepło rozchodzi się po wszystkich członkach.

W sensie duchowym dowcip się zaostrza, imaginacja rozpala, celne słówka rodzą się i zaczynają krążyć; jeśli La Fare i Saint-Aulaire przejdą do potomności ze sławą dowcipnych autorów, to przede wszystkim dlatego, że byli przemiłymi biesiadnikami.

Zresztą przy jednym stole zasiada często to wszystko, co zrodziło bogate życie towarzyskie: miłość, przyjaźń, interes, spekulacja, potęga, prośba, protekcja, ambicja, intryga; dlatego biesiada tyczy wszystkiego; dlatego przynosi owoce o wszelakich smakach.

W bezpośredniej tego konsekwencji przemyślność ludzka jęła szukać sposobów zwiększenia intensywności i trwania rozkoszy stołu.

Poeci narzekali, że szyja będąc zbyt krótką nie pozwala dość napawać się smakami; inni ubolewali nad małą pojemnością żołądka; doszło nawet do tego, że sztucznie opróżniano ten organ, by móc przełknąć następny posiłek.

Był to największy trud w dziele pomnożenia smakowych rozkoszy; ale ponieważ nie sposób przekroczyć granic ustanowionych przez naturę, zaczęto szukać czego innego: akcesoriów, które mogły przynajmniej poszerzyć pole oddziaływania.

Wazy i czary zdobiono więc kwiatami; wieńczono nimi biesiadników; do jedzenia zasiadano pod sklepieniem niebios, w ogrodach, w gajach, twarzą w twarz z cudami przyrody.

Rozkosze stołu znalazły dopełnienie w urokach muzyki i dźwięku instrumentów. I tak podczas uczt na dworze króla Feaków śpiewak Femios opiewał wydarzenia i wojowników dawnych czasów.

Często tancerze, kuglarze i mimowie płci obojga, w strojach rozmaitych rodzajów, radowali oczy ucztujących, nie wadząc przyjemnościom smaku; najwyborniejsze zapachy unosiły się w powietrzu; zdarzało się nawet, że przy stole usługiwała nieosłonięta piękność i tym sposobem wszystkie zmysły uczestniczyły we wszechogarniającej rozkoszy.

Aby dowieść prawdy tych słów, mógłbym przytoczyć niejedną stronicę: wystarczyłoby przepisać teksty z autorów greckich, rzymskich i z naszych starych kronik; ale są to już rzeczy zbadane i moja łatwa erudycja nie miałaby tytułu do zasługi: uznaję więc za pewne to, czego dowiedli inni. To prawo, z którego korzystałem często, winno mi przynieść wdzięczność czytelnika.

Osiemnasty i dziewiętnasty wiek

W mniejszym lub w większym stopniu, i zależnie od okoliczności, przyjęliśmy te sposoby rozmaite, zmierzające do uzyskania błogości, i dodaliśmy do nich inne odkrycia.

Rzecz pewna, że delikatność naszych obyczajów nie przystałaby na wymiotne środki Rzymian; osiągnęliśmy ten sam cel, idąc drogą dobrego smaku i uczyniliśmy lepiej.

Wymyślono potrawy tak kuszące, że nieustannie pobudzają apetyt; są one przy tym tak lekkie, że dogadzając podniebieniu, nie obciążają niemal żołądka. Seneka powiedziałby: *nubes esculentas*[10].

Osiągnęliśmy zatem taki postęp w tej dziedzinie, że gdyby sprawy nie zmuszały nas do wstania od stołu albo nie zjawiała się senność, posiłek trwałby niemal w nieskończoność i zabrakłoby danych, by określić czas dzielący pierwszy kieliszek madery od ostatniej szklanki ponczu.

Co więcej, nie należy sądzić, że wszystkie te akcesoria są niezbędne, aby doświadczać rozkoszy stołu. Możemy ich zaznać w całej niemal rozciągłości przy spełnieniu czterech następujących warunków: potrawy przynajmniej znośne, dobre wino, miłe towarzystwo, wystarczający czas.

Dlatego tak często pragnąłem uczestniczyć w skromnym posiłku, na który Horacy zaprosiłby sąsiada czy gościa szukającego u niego schronienia podczas złej pogody: smaczne kurczę, sarna (na pewno dobrze tłusta), na deser zaś winogrona, figi i orzechy. Dodając do tego wino z lat konsulatu Manliusza (*nata mecum consule Manlio*) oraz rozmowę z rozkosznym poetą, ucztowałbym najprzyjemniej w świecie.

At mihi cum longum post tempus venerat hospes
Sive operum vacuo, longum conviva per imbrem
Vicinus, bene erat, non piscibus urbe petitis
Sed pullo atque haedo, tum pensilis uva secundas
Et nux ornabat mensas, cum duplice ficu[11].

---

[10] Jadalne chmurki.
[11] A jeżeli czasami gość przychodził do mnie
Lub, gdy deszcz przerwał pracę, sąsiad do mnie wpadał,
Wtedy nie ryby z miasta, lecz po prostu jadał
Koźlę albo kurczaka; potem winogrona,
Jako deser, orzechy i figa suszona.

(Horacy)

W taki sam sposób wczoraj lub jutro trzy pary przyjaciół raczyły się lub będą się raczyć udźcem baranim z wody i nerką z Pontoise, popijając przejrzyste wino z Orleanu i Medoc; i zakończywszy wieczór rozmową swobodną i czarującą, zgoła zapomną o istnieniu dań bardziej wyrafinowanych i uczeńszych kucharzy.

Na odwrót, choćby najbardziej wyszukane były potrawy i najwspanialsze dodatki, nie może być przyjemności, gdy wino jest liche, goście zebrani bez wyboru, fizjonomie smutne, a jedzenie spieszne.

Szkic przygotowawczy

Wszelako, powie może niecierpliwy czytelnik, jaki w roku Pańskim 1825 winien być posiłek spełniający warunki, od których zależą najwyższe rozkosze stołu?

Odpowiem na to pytanie. Słuchajcie, czytelnicy, pilnie i z uwagą; to Gasterea, najśliczniejsza z muz, zsyła na mnie natchnienie; będę jaśniejszy niż wyrocznia i zalecenia moje przetrwają wieki:

„Niechaj liczba biesiadników nie przekracza dwunastu, aby rozmowa przez cały czas mogła być ogólna;

niech zostaną tak wybrani, aby zatrudnienia ich były różne, gusty podobne, a znali się między sobą na tyle, żeby uniknąć odrażającej formalności prezentacji;

niech sala jadalna będzie oświetlona rzęsiście, nakrycia niepokalanej czystości, a temperatura powietrza od trzynastu do szesnastu stopni w skali Reaumura;

niech mężczyźni będą dowcipni bez pretensji, a kobiety wdzięczne bez nadmiernej kokieterii;

niech dania będą wyborne, lecz w liczbie ograniczonej, a wina pierwszej jakości, każde w swoim zakresie;

niech kolejność dań wiedzie od najbardziej treściwych do najlżejszych, win zaś od najlżejszych do największego bukietu;

niech rytm jedzenia będzie umiarkowany, obiad jest bowiem ostatnim zajęciem dnia; niechaj biesiadnicy zachowują się jak podróżni, co razem winni osiągnąć ten sam cel;

niech kawa będzie bardzo gorąca, a likiery wybrane starannie przez gospodarza;

niech salon będzie dość obszerny, by ci, co bez gry nie mogą się obejść, zasiedli do partyjki, i żeby starczyło miejsca dla tych, co chcą pogawędzić po małym odpoczynku;

niech gości zatrzymuje miłe towarzystwo i ożywia myśl, że wieczór nie zakończy się bez jakiejś jeszcze przyjemności;

niech herbata nie będzie zbyt mocna, grzanki delikatnie posmarowane masłem, a poncz przygotowany troskliwie;

niech nikt nie zabiera się do wyjścia przed je-
denastą, ale o północy niech wszyscy będą w łóż-
kach".

Jeśli ktoś uczestniczył w obiedzie spełniającym
te wszystkie warunki, może sobie powiedzieć, że
uczestniczył we własnej apoteozie; na odwrót,
przyjemność będzie tym mniejsza, im bardziej te
warunki zostaną zapomniane lub zapoznane.

Powiedziałem, że rozkosze stołu, w postaci przeze mnie określonej, winny trwać dość długo; czego
dowiodę, przytaczając relację prawdziwą, dotyczącą najdłuższego posiłku w moim życiu. Opowieść
ta jest cukierkiem, który kładę w usta czytelnika, by
wynagrodzić go za okazaną łaskawość, skoro czyta
mnie z przyjemnością. A oto ona:

Miałem krewnych, mieszkających przy ulicy du
Bac; rodzina składała się z następujących osób:

doktor, 78 lat; kapitan, 76 lat; ich siostra Jeannette, 74 lata. Odwiedzałem ich od czasu do czasu, przyjmowany zawsze z wielką przyjaźnią.

– Tam do licha – powiedział mi pewnego razu doktor Dubois, stając na palcach, by klepnąć mnie po ramieniu – od dawna już chwalisz się swoimi *fondues* (jajecznica z serem), a nam tylko ślinka do ust leci; czas temu położyć koniec. Wybierzemy się do ciebie z kapitanem któregoś dnia na śniadanie i przekonamy się, co to jest. (Był chyba rok 1801, kiedy rzucił mi to wyzwanie.)

– Najchętniej – odparłem – i ocenicie *fondue* w całej jego doskonałości, bo przyrządzę to danie sam. Bardzom rad z propozycji. Zatem jutro o dziesiątej, z punktualnością wojskową.

O wymienionej godzinie ujrzałem moich gości świeżo ogolonych, starannie uczesanych i upudrowanych: dwaj mali staruszkowie, jeszcze żwawi i w dobrym zdrowiu.

Uśmiechnęli się z zadowoleniem, widząc gotowy stół, białe serwety, trzy nakrycia i na każdym talerzu dwa tuziny ostryg wraz z lśniącą i złocistą cytryną.

U każdego końca stołu stała butelka Sauterne, starannie osuszona i odkorkowana: było pewne, że zabiegu dokonano zawczasu.

Niestety! Na moich oczach znikły niemal bez śladu śniadania, ongi tak częste i wesołe, kiedy ostryg zjadało się tysiące; znikły wraz z księżmi, którzy łykali je po dwanaście tuzinów, i z kawalerami, co nigdy nie mieli ich dość. Żal mi owych śniadań, ale mój żal jest filozoficzny: jeśli czas zmienia rządy, cóż mówić o zwykłych obyczajach!

Po ostrygach, których świeżość doceniono, podano nerki z rożna, danie z wątróbek z truflami, wreszcie przyszła pora na *fondue*.

Składniki znajdowały się w garnku, który wniesiono wraz z palnikiem spirytusowym. Przystąpiłem do działań na polu walki, a kuzyni z największą uwagą śledzili każdy mój ruch.

Okazali najżywszy zachwyt dla uroków tej potrawy, poprosili mnie o przepis, który przyobiecałem przytoczywszy przy okazji dwie anegdotki na ten temat: czytelnik trafi na nie może gdzie indziej.

Po *fondue* pojawiły się owoce stosowne do pory roku, konfitury, mokka *à la Dubelloy*, dwa rodzaje likierów, jeden o działaniu oczyszczającym, drugi łagodzącym.

Kiedy skończyliśmy śniadanie, zaproponowałem moim gościom, by zażyli trochę ruchu obchodząc wokół moje mieszkanie, które zgoła nie jest wykwintne, ale obszerne i wygodne, i gdzie oni czuli się tym lepiej, że plafony i złocenia pochodzą z czasów Ludwika XV.

Pokazałem im oryginał w glinie popiersia mojej uroczej kuzynki, pani Récamier, zrobiony przez Chinarda, i jej miniaturę malowaną przez Augustina; byli tak zachwyceni, że doktor ucałował miniaturę grubymi wargami, a kapitan pozwolił sobie w stosunku do popiersia na śmiałość, za którą skarciłem go lekkim uderzeniem; bo gdyby wszyscy adoratorzy oryginału czynili to samo, ów rozkosznie ukształtowany biust znajdowałby się w podobnym stanie, co palec u nogi św. Piotra w Rzymie, znacznie pomniejszony pocałunkami pielgrzymów.

Pokazałem im następnie parę gipsów z najświetniejszych rzeźb antycznych, obrazy nie najgorszej jakości, moje fuzje i instrumenty muzyczne oraz kilka pięknie wydanych książek francuskich i obcych.

W czasie tej wszechstronnie pouczającej przechadzki goście nie zapomnieli o mojej kuchni. Pokazałem im mój ekonomiczny garnek na rosół, formy do pieczystego, samoczynnie obracający się rożen z wahadłem i rozpylacz. Przyjrzeli się wszystkiemu ciekawie i uważnie, zdumieni tym bardziej, że u nich nie zmieniło się nic od czasów Regencji.

Kiedy powróciliśmy do salonu, wydzwoniła druga godzina.

– Tam do kata! – powiedział doktor – jest pora obiadu. Jeannette na nas czeka. Trzeba iść. Nie powiem, żeby mi się spieszyło do stołu, ale czas na mój talerz zupy. Nawykłem do tego od tak dawna, że jeśli dzień minie mi bez zupy, powiadam jak Tytus: *diem perdidi*.

– Kochany doktorze – odparłem – miałbyś szukać gdzie indziej tego, co masz pod ręką? Poślę do kuzynki, aby ją uprzedzić, że zostajecie u mnie, łaskawie przyjmując zaproszenie na obiad, dla którego proszę o pobłażliwość, będzie to bowiem dzieło swobodnej improwizacji.

Bracia wpierw wymienili porozumiewawcze spojrzenia, za czym wyrazili formalną zgodę. Wtedy ja posłałem mego *volante* na przedmieście Saint-Germain; szepnąłem słówko kucharzowi; i po wcale niedługim czasie, korzystając po części z własnych zapasów, po części z zasobów pobliskich restauratorów, mógł podać nam obiadek niezgorszy i apetyczny.

Z wielką satysfakcją zauważyłem, że moi kuzyni z zimną krwią i pewnością siebie zasiadają do stołu, rozkładają serwetki i zabierają się do dzieła.

Czekały ich dwie niespodzianki, o których nawet nie pomyślałem; zupa była bowiem z parmezanem, po czym wypili po kieliszku wytrawnej madery. Parmezan i madera były wówczas nowością wprowadzoną przez księcia Talleyranda, pierwszego wśród naszych dyplomatów, któremu zawdzięczamy tyle subtelnych, dowcipnych i głębokich powiedzeń; Talleyranda otoczonego zawsze publicznym zainteresowaniem, czy stał u władzy, czy był od niej odsunięty.

Obiad udał się wybornie, co dotyczy tak potraw, jak i reszty, a moi goście okazali tyleż zrozumienia, co wesołości.

Po obiedzie zaproponowałem partyjkę pikiety, ale projekt odrzucono; panowie woleli włoskie *far niente*, jak wyraził się kapitan; zasiedliśmy więc przy kominku.

Mimo przyjemności *fair niente* wciąż myślałem o tym, że nic nie przydaje takiej słodyczy rozmowie, jak jakieś drobne, niepochłaniające uwagi zajęcie; zaproponowałem więc herbatę.

Herbata była osobliwością dla Francuzów starej daty; jednakże przystali. Przyrządziłem więc herbatę w ich obecności, oni zaś wypili po kilka filiżanek z przyjemnością tym większą, że uważali ją dotąd jedynie za lek.

Z długiej praktyki wiem, że ustępstwo pociąga za sobą ustępstwo i że kiedy człowiek raz wejdzie na tę drogę, nie potrafi odmówić. Toteż tonem niemal rozkazującym zaproponowałem na zakończenie po szklance ponczu.

– Ależ ty nas zabijesz – mówił doktor.

– Ale ty nas upijesz – mówił kapitan.

W odpowiedzi zawołałem, żeby przyniesiono cytryny, cukier i rum.

Zabrałem się do przyrządzania ponczu, a przez ten czas przygotowywano w kuchni grzanki (*toast*), cienkie, delikatnie posmarowane masłem i odpowiednio posolone.

Tym razem nie obeszło się bez protestów. Kuzynowie zapewniali, że dość już jedli i nie tkną grzanek; ale żem znał ten smakołyk i jego powaby, odparłem, że pragnę tylko jednego: by grzanek było dosyć. I rzeczywiście, niedługo potem kapitan sięgnął po ostatnią kromkę; zauważyłem, że rozgląda się chyłkiem, czy aby nie ma więcej, i że wypatruje następnych, których przygotowanie zleciłem natychmiast.

Czas niepostrzeżenie mijał, zegar wskazywał już ósmą.

– Uciekajmy – oświadczyli moi goście. – Musimy zjeść choćby po listku sałaty z naszą biedną siostrą, która nie widziała nas przez cały dzień.

Tym razem nie okazałem sprzeciwu i wierny obowiązkom gościnności odprowadziłem miłych staruszków do ich powozu i poczekałem, aż ruszą.

Tu mógłby kto zapytać, czy seans tak długi nie przyniósł momentów nudy.

Odpowiem przecząco: moi goście nie mogli się nudzić, zaciekawieni przygotowywaniem *fondue*, przechadzką po mieszkaniu, kilku nowościami przy obiedzie, herbatą, a zwłaszcza ponczem, którego nigdy dotąd nie skosztowali. Zresztą doktor znał cały Paryż z genealogii i pamiętał mnóstwo anegdot; kapitan spędził część życia w Italii jako żołnierz, był też z misją na dworze parmeńskim; ja sam dużo podróżowałem; gawędziliśmy bez pretensji, słuchaliśmy z pobłażliwością. Doprawdy, nie trzeba zbyt wiele, by czas upływał przyjemnie i szybko.

Nazajutrz otrzymałem list od doktora; powiadomił mnie uprzejmie, że mała rozpusta z dnia poprzedniego ani trochę im nie zaszkodziła; przeciwnie, spali doskonale, wstali wypoczęci, w dobrym humorze i gotowi zacząć wszystko od nowa.

Popasy na polowaniach

Ze wszystkich okoliczności życia, w których jedzenie odgrywa rolę, jedną z najprzyjemniejszych jest popas na polowaniu; ze wszystkich możliwych antraktów ten może trwać najdłużej bez nudy.

Po kilku godzinach polowania najsilniejszy nawet myśliwy pragnie odpoczynku. Twarz owiał mu wiatr poranny; nie zabrakło mu zręczności w potrzebie; słońce stanie wkrótce w zenicie; czas więc na przerwę, której nie nakazuje nadmierne zmęczenie, ale ów instynktowny impuls, co nas uprzedza, że aktywność nasza nie może trwać w nieskończoność.

Przyciąga go miejsce cieniste; zasiada na murawie; szemrzące obok źródło zachęca, by ochłodził flaszkę, którą ugasi pragnienie.

Tak siedząc, ze spokojną przyjemnością wyjmuje bułeczki o złocistej skórce, rozpakowuje zimne kurczę, które przyjacielska dłoń włożyła do jego torby, i kładzie to wszystko obok kawałka gruyère'a czy roqueforta, który będzie jego deserem.

Podczas tych przygotowań myśliwy nie jest sam; towarzyszy mu wierne zwierzę, które dla niego stworzyły niebiosa: pies patrzy na myśliwego z miłością; współpraca zniosła dystans, są teraz przyjaciółmi i sługa jest szczęśliwy i dumny, że może ucztować ze swym panem.

Zajadają z apetytem, którego nie znają światowcy ani dewoci: pierwsi, ponieważ nie pozostawili czasu, by apetyt mógł się pojawić; drudzy, ponieważ nigdy nie zażywają ćwiczeń, z których apetyt się rodzi.

Posiłek spożyto ze smakiem; każdy miał w nim swój udział; minął w porządku i spokoju. Czemu nie poświęcić kilku chwil na drzemkę? Południe to czas odpoczynku dla wszelkiego stworzenia. Te przyjemności zostaną pomnożone, jeśli dzieli je kilku przyjaciół; wówczas bardziej obfity posiłek przywozi się w kufrze oficerskim, przeznaczonym teraz do bardziej pokojowego użytku. Przedmiotem ożywionej rozmowy są sukcesy jednych, błędy innych i nadzieje na popołudnie.

Lecz cóż by to było, gdyby zjawiła się jeszcze troskliwa służba, niosąc naczynia poświęcone Bachusowi, gdzie sztuczne zimno chłodzi jednocześnie maderę, sok z truskawki i ananasa, likwory o boskim smaku, które do żył wieją cudowną świeżość i całą istotę napełnią błogością nie znaną profanom?

Ale wciąż nie jest to ostatnie słowo w progresji czarów.

Damy

Bywają dni, kiedy żony, siostry i kuzynki są zapraszane do udziału w naszych rozrywkach.

O oznaczonej godzinie pojawiają się lekkie pojazdy i rącze konie, zdobne w pióra i kwiaty, wioząc piękne panie. Strój dam ma w sobie coś wojskowego i kokieteryjnego zarazem; spojrzenie profesora może od czasu do czasu pochwycić to, co ukryte przed okiem, a zdradzone przez przypadek.

Wkrótce uchylone drzwiczki kolasek pozwalają ujrzeć skarby Périgord, cuda Strasburga, łakocie Acharda, inne wreszcie rzeczy powstałe w najuczeńszych laboratoriach, a znoszące podróż.

Nie zapomniano o ognistym szampanie, który pieni się w ręce pięknej damy; wszyscy zasiadają na trawie, jedzą, korki strzelają w powietrze; rozmowa toczy się swobodnie wśród żartów i śmiechu; salonem jest świat cały, światła udziela samo słońce. Zresztą apetyt, ta emanacja niebios, przydaje posiłkowi wigoru, którego nie ofiaruje najpiękniej przybrane wnętrze.

Ale że wszystko ma swój koniec, nestor daje znak; wszyscy wstają, mężczyźni biorą strzelby, damy wkładają kapelusze. Pożegnanie, oto już podjechały powozy; piękne panie znikają, by powrócić dopiero u schyłku dnia.

Takie polowania widywałem w wysokich sferach społecznych, gdzie Paktol toczy swoje wody; ale niekoniecznie tak być musi.

Polowałem w centrum Francji i w odległych departamentach; widziałem na popasach kobiety urocze, młode osoby promieniejące świeżością, jedne w kabrioletach, inne w zwykłych kariolkach czy na skromnym osiołku, który jest chwałą i bogactwem mieszkańców Montmorency; śmiały się z niewygód jazdy, kładły na murawie indyka w przezroczystej galarecie, pasztet domowy, gotową do przyprawienia sałatę; tańczyły lekką stopą przy ognisku, które rozpala się w podobnych okazjach. Brałem udział w grach i swawolach, towarzyszących tym koczowniczym posiłkom, i jestem pewien, że jeśli zbytek jest mniejszy, to wcale nie mniejsze uroki, wesołość i przyjemność.

Ach, czy więc przy rozstaniu nie pocałuje się króla polowania – dla jego chwały; pechowca, bo jest nieszczęśliwy; innych, żeby nikt nie był zazdrosny? Chwila odjazdu zazwyczaj do tego upoważnia i wolno, a nawet należy ze sposobności skorzystać.

Towarzysze, przezorni myśliwi, którzy potraficie złożyć się celnie, strzelajcie bez pudła i miejcie w pieczy zasoby, zanim zjawią się damy; doświadczenie bowiem uczy, że po ich odjeździe polowanie rzadko bywa owocne.

Próbowano ten fakt wyjaśnić w rozmaity sposób. Jedni przypisują go trawieniu, które przydaje ociężałości ciału; inni rozproszeniu uwagi; jeszcze inni poufnym rozmowom, które mogą natchnąć chęcią szybkiego powrotu.

Co do nas, w głąb serca sięgających przenikliwym spojrzeniem (jak mówi poeta), to myślimy, że ponieważ damy są młodziutkie, a myśliwi z zapalnej materii, niepodobna, aby przy takim zetknięciu nie strzeliła iskra, która gniew budzi w czystej Dianie; i niezadowolona bogini na resztę dnia odmawia swych łask winowajcom.

Powiadamy: na resztę dnia, ponieważ dzieje Endymiona pouczają nas, że Diana zgoła nie jest surowa po zachodzie słońca. (Przykładem obraz Girodeta).

Popasy na polowaniu są tematem dziewiczym, który ledwie tknęliśmy; mogłyby być przedmiotem traktatu równie zabawnego, jak pouczającego. Przekazujemy tę myśl bystremu czytelnikowi, który może z niej skorzysta.

O odpoczynku

Człowiek nie jest stworzony do nieustających działań; natura przeznaczyła go do egzystencji nieciągłej; jego zdolność postrzegania ustaje po pewnym czasie. Czas aktywności może być dłuższy, jeśli odmieni się rodzaj i charakter wrażeń; ale taka kontynuacja niesie pragnienie odpoczynku. Odpoczynek z kolei prowadzi do snu, a sen rodzi sny.

Tu docieramy do ostatnich granic człowieczeństwa: człowiek śpiący bowiem nie jest człowiekiem społecznym; prawo go jeszcze chroni, ale mu już nie rozkazuje.

Przytoczę teraz fakt dość osobliwy, który znam z opowieści dom Duhageta, ongi przeora kartuzów w Pierre-Châtel.

Dom Duhaget pochodził z bardzo dobrej rodziny gaskońskiej; kiedyś służył w wojsku, wyróżnił się, przez dwadzieścia lat był kapitanem piechoty, odznaczono go Orderem św. Ludwika. Nie znałem człowieka łagodniejszego w pobożności i milszego w rozmowie.

– W X – mówił – gdzie byłem przeorem, zanim zostałem przeniesiony do Pierre-Châtel, mieliśmy zakonnika o usposobieniu melancholijnym i charakterze ponurym; był to lunatyk.

Zdarzało się, że podczas ataku opuszczał swoją celę i wracał sam; kiedy indziej musiano zabłąkanego odprowadzać. Zbadano go, przepisano leki; ataki stały się potem rzadsze i przestaliśmy się tym zajmować.

Pewnego wieczora nie położyłem się o zwykłej godzinie i siedziałem przy biurku nad papierami, kiedy usłyszałem, jak ktoś otwiera drzwi, z których niemal nigdy nie wyjmowałem klucza, i ujrzałem owego zakonnika w stanie całkowitego lunatyzmu.

Oczy miał otwarte, ale nieruchome, ubrany był tylko w koszulę, jak w łóżku, i w ręce trzymał wielki nóż.

Ruszył prosto w stronę mego posłania, wiedząc gdzie się ono znajduje, sprawdził dotykiem, czy leżę; za czym uderzył nożem trzykrotnie z taką siłą, że ostrze, przebiwszy koce, weszło głęboko w materac czy raczej w rogożę, która mi materac zastępowała.

Kiedy przechodził obok mnie, widziałem, że twarz ma skurczoną i ściągnięte brwi. Po zadaniu ciosu odwrócił się: napięcie znikło z twarzy i malował się na niej wyraz niejakiego zadowolenia.

Światło dwóch lamp na moim biurku nie docierało do jego oczu; wyszedł tak samo, jak przyszedł, otwierając i zamykając cicho podwójne drzwi mojej celi, i wkrótce upewniłem się, że udał się prosto i spokojnie do własnej.

– Może pan sobie wystawić – ciągnął przeor – w jakim byłem stanie podczas tego strasznego najścia. Zadrżałem z grozy w obliczu niebezpieczeństwa, któremu zdołałem ujść, i dziękowałem za to Opatrzności; ale poruszony byłem tak bardzo, że przez całą noc nie mogłem zmrużyć oka.

Nazajutrz kazałem wezwać lunatyka i zapytałem go wprost, o czym śnił ostatniej nocy.

Zmieszał się przy tym pytaniu.

– Mój ojcze – odparł – miałem sen tak dziwny, że doprawdy nie wiem, jak mam go opowiedzieć; może to sprawka diabelska i...

– Rozkazuję ci – rzekłem. – Sen nie zależy od woli, to tylko ułuda. Mów szczerze.

– Mój ojcze – powiada wówczas – ledwiem się położył, śniłem, żeś zabił moją matkę; jej krwawy cień pojawił się przede mną, żądając zemsty i na ten widok chwycił mnie taki gniew, że jak szalony pobiegłem do twojej celi i znalazłszy cię w łóżku, przebiłem nożem. Niedługo potem ocknąłem się zlany potem, pełen odrazy do mojego czynu, i błogosławiłem Boga, że nie doszło do tak wielkiej zbrodni...

– Doszło bardziej, niż przypuszczasz – rzekłem z poważnym i spokojnym wyrazem.

Za czym opowiedziałem mu, co się zdarzyło, i pokazałem ślady ciosów, które w swoim mniemaniu mi zadał.

Na ten widok rzucił mi się do stóp cały we łzach, jęcząc z rozpaczy na myśl o nieszczęściu, jakie mógł spowodować, i błagał o karę, którą uznam za stosowną.

– Nie, nie – zawołałem – nie ukarzę cię za czyn niezamierzony; ale od dziś jesteś zwolniony od udziału w nabożeństwach nocnych i uprzedzam, że twoja cela będzie zamknięta od zewnątrz po posiłku wieczornym i otworzy się dopiero o świcie, byś mógł przyjść na jutrznię.

Gdyby przeor, który cudem uszedł śmierci, został zabity, lunatyka nie spotkałaby kara, ponieważ byłoby to zabójstwo bez udziału woli.

O wpływie diety
na odpoczynek, sen i sny

Czy człowiek odpoczywa, czy śpi, czy śni, wciąż pozostaje pod działaniem pokarmów i nie opuszcza królestwa gastronomii.

Teoria i doświadczenie zgodnie dowodzą, że jakość i ilość jedzenia mają wielki wpływ na pracę, odpoczynek, sen i sny.

Źle odżywiony człowiek nie zniesie długo zmęczenia nieprzerwanej pracy; jego ciało okrywa się potem; siły opuszczają go rychło i odpoczynek oznacza dla niego niemożność działania.

Wpływ diety na pracę

Jeśli idzie o pracę umysłową, myśli rodzą się pozbawione siły i precyzji; refleksja ich nie łączy, sąd nie bada; mózg wyczerpuje się w jałowych wysiłkach i człowiek zasypia na polu walki.

Zawsze myślałem, że kolacje w Auteuil, podobnie jak w pałacu Rambouillet i Soissons, wiele przyczyniły dobra pisarzom epoki Ludwika XIV i złośliwy Geoffroy, który kpił sobie z poetów końca osiemnastego wieku, mówiąc, że ich ulubionym napojem była słodzona woda, miałby swoją rację (jeśli fakt jest prawdziwy).

Z tych założeń wychodząc, przestudiowałem dzieła pewnych autorów, których ubóstwo i liche zdrowie są rzeczą znaną; w istocie mało znalazłem w nich siły, chyba że podnietą było im poczucie własnych cierpień albo zawiść, często źle maskowana.

Ten natomiast, kto odżywia się dobrze i podtrzymuje swoje siły przezornie i z rozeznaniem, może sprostać pracy, której, zdawałoby się, nie zniesie żadna żywa istota.

W przeddzień wyjazdu do Boulogne cesarz Napoleon pracował przez trzydzieści z górą godzin, czy to z Radą Państwa, czy z rozmaitymi przedstawicielami władzy, pokrzepienie czerpiąc tylko z dwóch krótkich posiłków i kilku filiżanek kawy.

Brown mówi o pewnym urzędniku angielskiej admiralicji; utraciwszy wskutek przypadku wykazy, których nikt prócz niego nie mógł odtworzyć, pracował nad ułożeniem nowych przez pięćdziesiąt dwie godziny bez ustanku. Gdyby nie odpowiednia dieta, nigdy nie wyrównałby tej ogromnej utraty sił. Pokrzepiał się w sposób następujący: wpierw woda, potem lekkie pokarmy, potem mocne buliony, wreszcie opium.

Zetknąłem się pewnego razu z kurierem, którego znałem z armii: wracał z Hiszpanii, dokąd rząd wysłał go w nie cierpiącej zwłoki sprawie (*correo ganando horas*, mówią Hiszpanie). Podróż trwała dwanaście dni, w Madrycie zatrzymał się tylko cztery godziny. Kilka szklanek wina i filiżanek bulionu oto wszystko, co spożył przez ten długi czas jazdy i bezsenności; dodawał, że przy pożywieniu bardziej treściwym musiałby na pewno przerwać podróż.

O snach

Dieta ma nie mniejszy wpływ na sen oraz sny.

Ten, co czuje potrzebę jedzenia, nie może spać; pusty żołądek powoduje przykrą bezsenność, a jeśli osłabienie i wyczerpanie przyniosą nawet sen, to jest on niespokojny i przerywany.

Ten natomiast, co w jedzeniu nie zachował umiaru, zasypia natychmiast kamiennym snem; jeśli śni, nie pozostaje mu żadne wspomnienie. Z tej samej przyczyny jego przebudzenie jest gwałtowne; z trudem powraca do życia; a kiedy już całkiem się ocknął, czuje długo jeszcze wysiłek trawienia.

Można uznać za regułę generalną, że kawa oddala sen. Przyzwyczajenie osłabia to działanie kawy, a nawet całkiem je usuwa; bezsenność wszakże występuje u wszystkich Europejczyków, kiedy zaczynają ją pić. Pewne pokarmy, na odwrót, łagodnie sprowadzają sen: a więc potrawy w których przeważa mleko, rozmaite rodzaje sałaty drób, portulaka, kwiat pomarańczy, przede wszystkim zaś reneta, jeśli zjeść ją tuż przed zaśnięciem.

Doświadczenie wsparte na niezliczonych obserwacjach poucza, że dieta określa sny.

Następstwo

Ogólnie biorąc, wszystkie pokarmy lekko podniecające sprowadzają sny; ciemne mięsa, gołębie, kaczka, zwierzyna, a zwłaszcza zając.

Tę samą właściwość posiadają szparagi, seler, trufle, słodycze, do których dodano zapachy, zwłaszcza wanilię.

Byłoby wielkim błędem sądzić, że należy wygnać z naszych stołów substancje, które działają usypiająco: sny po nich są na ogół przyjemne, lekkie i przedłużają nasze istnienie w czasie, gdy zdaje się ono zawieszone.

Są osoby, dla których sen stanowi życie odrębne, rodzaj kontynuowanej powieści, to znaczy, że ich sny mają ciąg dalszy, że następnej nocy kończą śnić to, co rozpoczęły poprzedniej; widzą we śnie twarze, które rozpoznają, choć nigdy nie oglądały ich na jawie.

Rezultat

Człowiek, który rozmyślał nad swoim życiem fizycznym i który stosuje się do przedstawionych tu zasad, może spodziewać się dobrego odpoczynku, snu i snów.

Układa sobie pracę tak, by nigdy nie być wyczerpanym; czyni ją lżejszą przez odmiany, które świadomie do niej wprowadza, i odzyskuje sprawność dzięki krótkim chwilom wytchnienia – co ją ułatwia, nie naruszając koniecznej czasem ciągłości.

Jeśli za dnia niezbędny mu jest dłuższy odpoczynek, pozwala sobie nań tylko w pozycji siedzącej; odmawia sobie snu, chyba że jest to potrzeba nieodparta, przede wszystkim zaś stara się, żeby sen taki nie wszedł mu w zwyczaj.

Kiedy nadchodzi godzina nocnego odpoczynku, udaje się do przewietrzonej sypialni; nie zaciąga firanek, aby nie oddychać po stokroć tym samym powietrzem; nie zamyka okiennic; ilekroć otworzy oczy, resztki światła będą mu pociechą.

Kładzie się na posłaniu lekko podwyższonym u wezgłowia; poduszkę ma z włosia, szlafmycę z płótna; kołdry nie uciskają mu piersi; ale pamięta, by dobrze okryć nogi.

Jadł roztropnie, nie odmawiając sobie ani dobrych, ani wyśmienitych potraw; pił doskonałe wina, ale z ostrożnością, choćby to były wina największej sławy. Przy deserze raczej mówił o sprawach serca niż o polityce i bardziej był skłonny do madrygałów niż do epigramów; wypił filiżankę kawy, jeśli jego konstytucja mu na to pozwala, a w kilka chwil potem kroplę doskonałego likieru, tylko tyle, by poczuć aromat w ustach. Przez cały czas był miłym współbiesiadnikiem i wybornym znawcą, lecz tylko nieznacznie przekroczył granicę potrzeb.

Tak postąpiwszy kładzie się do łóżka zadowolony z siebie i z innych, oczy mu się zamykają; zapada w pierwszy sen, potem na kilka godzin w sen głęboki.

Natura wzięła, co do niej należy; asymilacja wyrównała straty. Wówczas miłe sny przychodzą, by obdarzyć go tajemniczym istnieniem; widzi osoby, które kocha, odnajduje swoje ulubione zajęcia i przenosi się do miejsca, gdzie było mu dobrze.

Wreszcie sen rozprasza się stopniowo i człowiek wraca do życia, nie żałując straconego czasu: działał we śnie bez zmęczenia i zaznawał niczym nie skażonych radości.

O wyczerpaniu

Przez wyczerpanie rozumiemy stan słabości, omdlałości i przygnębienia spowodowany wcześniejszymi przyczynami i utrudniający wykonywanie funkcji życiowych. Pomijając wyczerpanie wywołane brakiem pokarmów, można wymienić trzy jego rodzaje: wyczerpanie wynikające ze zmęczenia mięśni, z pracy umysłowej i nadużyć erotycznych.

Prostym środkiem na wszystkie trzy rodzaje wyczerpania jest bezzwłoczne zaprzestanie czynności, które sprowadziły stan podobny chorobie, jeśli nie jest to sama choroba.

Leczenie

Po tym niezbędnym wstępie przywołajmy gastronomię, zawsze gotową udzielić nam pomocy.

Dla człowieka wyczerpanego zbyt długim wysiłkiem fizycznym ma ona smaczną zupę, dobroczynne wino, mięso i sen.

Dla uczonego, co zbyt dał się ponieść, urzeczony swoim przedmiotem – ruch na wolnym powietrzu, który odświeży jego umysł, kąpiel, która uspokoi jego nerwy, oraz drób, zielone jarzyny i odpoczynek.

Dowiemy się dalej, co może uczynić dla człowieka, który zapomniał, że rozkosz ma swoje granice, a przyjemność swoje niebezpieczeństwa.

Kuracja przeprowadzona przez profesora

Pewnego razu wybrałem się z wizytą do jednego z moich przyjaciół (pana Rubat); powiedziano mi, że jest chory, i rzeczywiście zastałem go w szlafroku; siedział przy kominku w pozycji zdradzającej wyczerpanie.

Jego twarz przeraziła mnie; był blady, oczy mu błyszczały, dolna warga opadła, odsłaniając zęby, co miało w sobie coś odrażającego.

Zapytałem żywo o przyczynę tej nagłej zmiany; wahał się, ja napierałem; wreszcie, po chwili namysłu, powiedział, czerwieniejąc:

– Wiesz, przyjacielu, że moja żona jest zazdrosna i że ta mania wiele mnie kosztowała przykrości. Ostatnio jest z nią gorzej niż kiedykolwiek, ja zaś pragnąc jej dowieść, że moje uczucia są niezmienne i że nie pozwoliłem sobie na nic, co byłoby wbrew moim powinnościom małżeńskim, popadłem w stan, w jakim mnie widzisz.

– Zapomniałeś więc – powiedziałem na to – że masz czterdzieści pięć lat i że zazdrość jest chorobą, na którą nie ma lekarstwa? Czy nie wiesz, że *furens quid femina possit*?

Tu dorzuciłem jeszcze kilka zdań, wcale nie uprzejmych, jako że byłem w wielkim gniewie.

– Co więcej – ciągnąłem – puls masz urywany, napięty; co zamierzasz uczynić?

– Doktor właśnie stąd wyszedł – odparł. – Sądzi, że to gorączka nerwowa, zlecił puszczenie krwi; zaraz przyśle mi chirurga.

– Chirurga! – zawołałem – niech Bóg broni, jeśli ci życie miłe! Przepędź go jak mordercę i powiedz, że jesteś w mojej władzy, ciałem i duszą. Czy twój lekarz zna przyczynę choroby?

– Niestety, nie; głupi wstyd nie pozwolił mi do wszystkiego się przyznać.

– Niech więc tu przyjdzie raz jeszcze. Zrobię ci lek stosowny do twego stanu; na razie wypij to.

I podałem mu szklankę mocno osłodzonej wody, którą wypił z ufnością Aleksandra i ślepą wiarą prostaka.

Za czym opuściłem go i pospieszyłem do domu, żeby przyrządzić pokrzepiający lek, który czytelnik znajdzie w *Rozmaitościach*, stosując rozmaite sposoby pozwalające mi zyskać na czasie; w podobnych bowiem wypadkach kilka godzin opóźnienia może przynieść niepowetowane szkody.

Wróciłem wkrótce uzbrojony w mój lek; przyjaciel wyglądał już lepiej; kolory wróciły mu na twarz, patrzył spokojniej; ale dolna warga wciąż zwisała odrażająco.

Zjawił się lekarz, poinformowałem go, com uczynił, chory zaś złożył swoje wyznanie. Doktorskie czoło zrazu przybrało wyraz surowy; ale niebawem powiedział do przyjaciela, patrząc na nas obu ironicznym trochę spojrzeniem:

– Nie powinien pan się dziwić, że nie odgadłem choroby, która nie godzi się ani z pana wiekiem, ani stanem; i zbyt wiele okazał pan skromności – skrywając przyczynę, która przynosi panu tylko zaszczyt. Muszę jednak pana skarcić, żeś naraził mnie na popełnienie błędu, którego następstwa mogły być dla pana zgubne. Lecz mój kolega – dodał z ukłonem, który mu zwróciłem z nawiązką – wskazał panu dobrą drogę; wypij tę jego zupę, jakkolwiek ją nazywa, i jeśli gorączka ustanie, jak sądzę, każ sobie podać jutro na śniadanie filiżankę czekolady z dwoma rozpuszczonymi w niej świeżymi żółtkami.

Co powiedziawszy wziął swoją laskę i kapelusz, za czym wyszedł, my zaś ledwie powstrzymaliśmy się od śmiechu.

Nie mieszkając, dałem choremu dużą filiżankę mego eliksiru życia; wypił natychmiast i poprosił o jeszcze, lecz ja zarządziłem dwugodzinną przerwę; następną filiżankę otrzymał przed moim wyjściem.

Nazajutrz nie miał gorączki i był prawie całkiem zdrów; wypił zaleconą mu czekoladę, brał nadal mój eliksir i następnego dnia mógł powrócić do zwykłych zajęć; ale zbuntowana warga wróciła na swoje miejsce dopiero w dzień później.

Niedługo potem rzecz się wydała i panie miały temat do poufnych szeptów.

Niektóre podziwiały mego przyjaciela, wszystkie go żałowały i chwaliły profesora.

*Filozoficzna
historia kuchni*

Kuchnia jest najstarszą ze sztuk; albowiem Adam, urodziwszy się głodny, natychmiast zaczął wydawać wielkie krzyki, które ucichły dopiero na piersi piastunki.

Ze wszystkich też największe ma zasługi dla dobra powszechnego: dzięki niej nauczyliśmy się używać ognia, a przez ogień człowiek ujarzmił naturę. Rozpatrując problem z perspektywy dzisiejszej, możemy rozróżnić trzy rodzaje kuchni:

pierwsza, która zajmuje się przyrządzaniem pokarmów, zachowała swoją pierwotną nazwę;

druga zajmuje się ich analizą i sprawdzaniem składników: nazywamy ją chemią;

trzecia, którą można nazwać kuchnią leczniczą, bardziej jest znana jako farmacja.

Jeśli różnią się one celem, łączą się we wspólnym korzystaniu z ognia, pieców i naczyń.

Tak więc z kawałka wołowiny kucharz robi rosół i sztukę mięsa; chemik bierze to mięso, aby się dowiedzieć, ile zawiera cząstek rozpuszczalnych, farmaceuta zaś gwałtownym sposobem stara się usunąć je z organizmu, jeśli wywołało niestrawność.

Człowiek jest zwierzęciem wszystkożernym; ma zęby sieczne dla dzielenia na cząstki owoców, zęby trzonowe dla gryzienia ziarna i kły dla rozszarpywania mięsa; w związku z czym zauważono, że im człowiek jest bliższy stanu dzikości, tym kły są mocniejsze i łatwiej rozpoznawalne.

Jest wielce prawdopodobne, że człowiek z konieczności był długo roślinożerny; jako najcięższe spośród stworzeń dawnego świata zdolność ataku miał bardzo ograniczoną, dopóki nie posiadał broni. Ale związana z jego naturą potrzeba perfekcji rozwinęła się szybko; samo już poczucie własnej słabości kazało sporządzić mu broń; popychała go

Porządek pokarmów

również mięsożerność zapowiedziana przez kły; i od momentu gdy się uzbroił, wszystkie wokoło zwierzęta stały się jego łupem i pożywieniem.

Ten niszczycielski instynkt trwa w nim jeszcze: dzieci niemal zawsze zabijają pozostawione im zwierzątka; zjadłyby je, gdyby były głodne.

Nic w tym dziwnego, że człowiek pragnął odżywiać się mięsem; żołądek ma zbyt mały, owoce zaś nie zawierają dość substancji przyswajalnych, by mogły mu całkowicie wystarczać; lepszym pożywieniem byłyby jarzyny, ale tu trzeba umiejętności, której nabył dopiero z biegiem wieków.

Pierwszą bronią człowieka były gałęzie; potem zaczął sporządzać łuk i strzały.

Jest rzeczą wysoce godną uwagi, że w jakimkolwiek klimacie i pod jakąkolwiek szerokością spotykano człowieka, zawsze posiadał łuk i strzały. Tę zgodność trudno wytłumaczyć. Nie wiadomo, dlaczego ta sama myśl pojawiła się u istot żyjących w tak rozmaitych warunkach; przyczyna zapewne ukryta jest za zasłoną wieków.

Surowe mięso ma tylko tę niedogodność, że przykleja się do zębów; poza tym zgoła nie jest przykre w smaku. Przyprawione odrobiną soli, daje się doskonale strawić i zapewne bardziej jest odżywcze niż wszelkie inne.

– *Mein God* – mówił mi w 1815 roku pewien kapitan Kroatów, którego podejmowałem obiadem – nie trzeba tylu przygotowań, żeby posiłek był dobry. Kiedy jesteśmy w polu i czujemy głód, zabijamy pierwsze napotkane zwierzę; odkrawamy najbardziej mięsisty kawałek, posypujemy go odrobiną soli, którą zawsze mamy przy sobie; kładziemy mięso pod siebie na grzbiet konia; galopujemy przez pewien czas i (tu zrobił minę człowieka, który rozszarpuje coś bez litości) mniam, mniam, mniam, raczymy się jak książęta.

Kiedy myśliwi w Delfinacie wybierają się na polowanie we wrześniu, nie zapominają o pieprzu i soli. Jeśli ustrzelą dobrze tłustą figojadkę, oskubują ptaszka, przyprawiają go, noszą przez pewien czas pod kapeluszem, za czym zjadają. Twierdzą, że w tej postaci figojadka jeszcze jest lepsza niż pieczona.

Zresztą jeśli nasi praojcowie jedli surowe pokarmy, my zachowaliśmy w pewnym stopniu ten zwyczaj. Najdelikatniejsze podniebienie nie gardzi kiełbasą z Arles, mortadelą, wędzoną wołowiną hamburską, *anchois*, świeżo solonym śledziem i innymi rzeczami, które nie zaznały ognia, a mimo to budzą apetyt.

Gdy już człowiek raczył się dość długo na sposób Kroatów, przyszło odkrycie ognia; i był to przypadek, skoro ogień nie istnieje w sposób naturalny na ziemi; mieszkańcy archipelagu Marianny nie znają go wcale.

Odkrycie ognia

Gdy ogień był już znany, instynkt doskonalenia skłonił wpierw człowieka, by suszył przy nim mięso, potem zaś, by piekł je na węglu.

Gotowanie

Takie pieczone mięso smakowało znacznie lepiej; nabiera ono konsystencji, można je łatwiej gryźć, sok mięsny zaś, zapiekając się, przydaje mu zapachu, który nadal wydaje się nam przyjemny.

Zauważono jednak, że mięso pieczone na węglu jest brudne: przyklejają się do niego cząstki popiołu i węgla, które trudno usunąć. Wymyślono więc rożna, które wsparte na dwóch odpowiednio wysokich kamieniach umieszczano nad żarem.

W ten sposób doszliśmy do mięsa z rożna, równie łatwego do przyrządzenia, jak smacznego; każde tak upieczone mięso jest wyborne, ponieważ po części uwędzone.

Człowiek posunął się niewiele dalej w czasach Homera; mam nadzieję, że czytelnik rad będzie się dowiedzieć, w jaki sposób Achilles podejmował w swoim namiocie trzech znamienitych Greków, z których jeden był królem.

Dedykuję paniom zacytowany niżej fragment, jako że Achilles był najpiękniejszym z Greków i że duma nie powstrzymała go od łez, gdy utracił Bryzejdę.

Zaraz do Menojtiosa odzywa się syna:
„Największy im dzban przynieś, nie oszczędzaj
[wina.
Niechaj czasza przed każdym napełniona stoi!
Przyszli do mnie najlepsi przyjaciele moi".
Na te słowa czym prędzej Patrokl się zawinie.
Pelid stawia przy ogniu szerokie naczynie,
Kładzie w nie wielkie sztuki kozy i barana,
Mieści się i ćwierć wieprza, tłustością oblana.
Automedon wstrzymywał mięso, Pslid siekał
I porąbane sztuki na rożny nawlekał.
Patrokl wielki podnieca ogień silnym
[tchnieniem.
A gdy już konającym iskrzył się płomieniem,
Solą mięso potrząsa, węgle rozpościera,
I obciążone rożny na głazach opiera.
Skoro się zaś upiekło wszystko jak potrzeba,
Z pięknych koszów wykładał Patrokl sztuki
[chleba;
Achilles mięso dzieli, siedząc z drugiej strony,
Przeciw miejscu, gdzie siedział Odysseus
[wsławiony.
Lecz i wezwanie bogów nie wyszło z pamięci:
Dla nich Patrokl pierwiastki mięsa w ogniu
[święci.
Im zgotowana uczta do smaku przy padła,
A kiedy już dość mieli napoju i jadła,
Ajas ostrzegł Fojniksa; lecz Itak nie czekał,

Nalał wina i rzeczy zagaić nie zwlekał:
„Bądź szczęśliwy, Achillu!..."[12]

(Iliada, ks. IX)

Tak więc król, syn króla i trzej wodzowie greccy zjedli świetną wieczerzę złożoną z chleba, wina i mięsa z rożna.

Należy sądzić, że jeśli Achilles i Patrokles sami zajmowali się przygotowywaniem uczty, to tylko dla uhonorowania tak znakomitych gości; kuchnia bowiem była sprawą niewolników i kobiet; mówi nam o tym sam Homer w Odysei z okazji uczty dla zalotników.

W owych czasach wnętrzności zwierząt z tłuszczem i krwią uważano za bardzo wyszukane danie (dzisiejsze flaki).

Wówczas także, a nawet wcześniej, poezja i muzyka dopełniały przyjemności posiłku. Czcią otaczani wieszczowie opiewali cuda natury, amory bogów i wielkie czyny wojowników; był to rodzaj kapłaństwa i boski Homer sam wywodził się spośród tych ludzi błogosławionych przez niebo; nie wzniósłby się tak wysoko, gdyby nauki poezji nie rozpoczął już w dzieciństwie.

Pani Dacier zwraca uwagę, że Homer nie wspomina nigdzie o gotowanym mięsie. Hebrajczycy poszli dalej w tym względzie, dzięki swemu pobytowi w Egipcie; mieli naczynia odpowiednie do umieszczania na ogniu; w jednym z nich została ugotowana zupa, którą Jakub tak drogo sprzedał Ezawowi.

Kuchnia poczyniła wielkie postępy, odkąd ludzie zaczęli posługiwać się naczyniami, czy to ze spiżu, czy z gliny, które dobrze znosiły ogień. Można

Uczty ludów Wschodu. Grecy

---

[12] Przekład Franciszka Dmochowskiego.

było przyrządzać mięsa, gotować jarzyny; tak oto pojawiły się rosoły, soki, galarety, które jadamy nadal.

Najstarsze zachowane księgi mówią z uznaniem o ucztach królów Wschodu. Nietrudno uwierzyć, że monarchowie panujący na ziemiach żyznych i bogatych we wszystko, zwłaszcza zaś w przyprawy) korzenne i zapachy, stoły mieli zastawione wspaniale; nie znamy wszakże szczegółów. Wiemy tylko, że Kadmos, który przyniósł Grecji pismo, był kucharzem króla Sydonu.

U tych ludów, kochających się w rozkoszach i zniewieściałych, powstał zwyczaj jedzenia na leżąco, na ustawionych wokół stołów łożach.

Ten zwyczaj, który wywodzi się ze słabości, nie wszędzie spotkał się z równie dobrym przyjęciem. Ludy odznaczające się odwagą i siłą, u których prostota była cnotą, długo go odrzucały; ale zadomowił się w Atenach i upowszechnił w cywilizowanym świecie.

Kuchnia i jej rozkosze były w wielkich łaskach u Ateńczyków, narodu wykwintnego i spragnionego nowości: królowie, bogacze, poeci, uczeni dawali tu przykład; nawet filozofowie nie uważali za konieczne odmawiać sobie przyjemności, którymi darzy sama natura.

Sądząc z pism starożytnych autorów, możemy być pewni, że posiłki u Greków były prawdziwymi fetami.

Polowanie, rybołówstwo i handel dostarczały im wielu produktów do dziś uchodzących za doskonałe, które wskutek konkurencji kosztowały niezmiernie drogo.

Wszystkie sztuki miały swój udział w zdobieniu greckiego stołu, wokół którego biesiadnicy układali się na łożach okrytych bogatą purpurą.

Dobremu jedzeniu przydawano jeszcze większej ceny miłą rozmową; jej prowadzenie stało się sztuką.

Śpiewy, które rozpoczynały się mniej więcej po drugim daniu, straciły dawną surowość; nie głosiły już tylko chwały bogów, bohaterów i wielkich wydarzeń historycznych: tematem była przyjaźń, rozkosz i miłość, a miały one w sobie słodycz i harmonię, których nasze oschłe i twarde języki nigdy nie zdołają osiągnąć.

Wina greckie, które nadal uważamy za doskonałe, smakowali wpierw i układali w odpowiedniej kolejności znawcy, poczynając od najłagodniejszych i idąc do najmocniejszych; przy pewnych ucztach podawano wszystkie rodzaje win; w przeciwieństwie do naszych zwyczajów puchary były tym większe, im lepszej jakości wino.

Najładniejsze kobiety zjawiały się, by upiększyć te rozkoszne spotkania; tańce, gry i rozrywki najrozmaitszych rodzajów przedłużały przyjemności wieczora. Oddychało się z rozkoszą wszystkimi porami ciała; i Arystop nie był jedynym, który zjawiwszy się pod sztandarem Platona, przeszedł na stronę Epikura.

Uczeni prześcigali się w opisywaniu sztuki, która ofiarowuje tak słodkie chwile. Platon, Atenajos i wielu innych przytacza ich imiona. Dzieła ich zaginęły, niestety; zwłaszcza trzeba żałować *Gastronomii* Achestradesa, przyjaciela jednego z synów Peryklesa.

„Ten wielki pisarz, mówi Teotimos, zjeździł lądy i morza, aby stwierdzić samemu, co mają najlepszego. W swoich podróżach nie zasięgał wiadomości o obyczajach ludów, skoro niepodobna ich zmienić, ale wchodził do miejsc, gdzie przygotowują wszelkie rozkosze stołu, i zajmował się jedynie ludźmi, którzy poświęcili się tej sztuce. Jego poemat jest skarbem i nie zawiera ani jednego wiersza, który nie byłby przepisem".

Taka była kuchnia w Grecji; i trwała ona aż do chwili, kiedy garść ludzi, którzy osiedli nad brzegami Tybru, podbiła sąsiednie narody, a w końcu zawładnęła całym światem.

Uczty rzymskie

Dobre jadło było nieznane Rzymianom, dopóki walczyli, by zapewnić sobie niepodległość czy podbić sąsiadów, tak samo ubogich jak oni sami. W owych czasach wodzowie chodzili za pługiem, odżywiali się jarzynami etc. Roślinożerni historycy sławią te czasy prymitywne, kiedy prostota była w wielkich łaskach. Ale kiedy podboje rzymskie rozciągnęły się na Afrykę, Sycylię i Grecję; kiedy zwycięzcy raczyli się kosztem zwyciężonych w krajach, gdzie cywilizacja była bardziej rozwinięta, w Rzymie zaczęły pojawiać się potrawy, które zachwyciły Rzymian u cudzoziemców, i wszystko przemawia za tym, że nowości te dobrze przyjęto.

Rzymianie wysłali do Aten delegację, aby przywiozła prawa Solona; jeździli też do Grecji, by studiować literaturę i filozofię. Nabierając gładszych obyczajów, poznawali rozkosze uczt; i wraz z oratorami, filozofami, retorami i poetami zjawili się w Rzymie kucharze.

Z czasem i z wciąż nieustającymi zwycięstwami do Rzymu zaczęły napływać wszystkie bogactwa świata; przepych osiągnął stopień wręcz niewiarogodny.

Na stołach zjawiało się wszystko, od bociana do strusia, od koszatki do dzika; wszystkiego, co może podniecić smak, używano jako przypraw; są wśród nich nawet takie, których zastosowania nie potrafimy zrozumieć, jak ruta, czarcie łajno etc.

Cały znany świat składał daniny armiom i podróżnym. Z Afryki sprowadzano perliczki i trufle, z Hiszpanii króliki, bażanty z Grecji, dokąd przyszły znad brzegów Fasis, prawie z krańców Azji.

Najznaczniejsi z Rzymian chlubili się pięknymi ogrodami, gdzie rosły nie tylko owoce od dawna znane, jak gruszki, jabłka, figi i winogrona, ale również sprowadzane z rozmaitych krajów, jako to: morele z Armenii, brzoskwinie z Persji, pigwy z Sydonu, maliny z doliny u stóp góry Ida; czereśnie przywiózł Lukullus z królestwa Pontu. Wszystkie te w rozmaitych okolicznościach sprowadzane nowości dowodzą co najmniej, że impuls był powszechny; każdy uważał za honor i obowiązek przyczynić się do przyjemności władającego narodu.

Do dań najbardziej zbytkownych należały ryby. Przekładano pewne gatunki nad inne i to tym bardziej, w im odleglejszych miejscach odbywały się połowy. Ryby z dalekich okolic przywożono w naczyniach pełnych miodu, a jeśli okazy były szczególnie wielkie, sprzedawano je bardzo drogo, ponieważ poszukiwane były przez ludzi niekiedy bogatszych od królów.

W nie mniejszym stopniu interesowano się napojami. Rzymianie pili wina greckie, sycylijskie, italskie, a ponieważ ich wartość zależała od okolicy czy kraju, skąd pochodziły, każda amfora opatrzona była swego rodzaju metryką.

O nata mecum consule Manlio[13].

Horacy

Ale to jeszcze nie wszystko. W pragnieniu wciąż większej doskonałości, o którym wspomnieliśmy, winom starano się przydać ostrości i aromatu; dodawano do nich kwiaty, zapachy, rozmaite narkotyki; tak zaprawione wina, które autorzy ówcześni

---

[13] Za konsula Manliusza wraz ze mną zrodzona.

nazywają *condita*, miały palić usta i gwałtownie pobudzać żołądek.

Tak więc już wówczas Rzymianie marzyli o alkoholu, który wynaleziono dopiero w piętnaście wieków później.

Ale przede wszystkim ten niebywały przepych widać było w akcesoriach.

Meble niezbędne do uczty były najbardziej wyszukane, co dotyczyło tak materiałów, jak i wykonania. Liczba potraw powiększała się stopniowo aż do dwudziestu i więcej, i przy każdym nowym daniu usuwano wszystko, co służyło do poprzednich.

Do każdego rodzaju posług przy stole przeznaczano specjalnych niewolników: funkcje najściślej były rozgraniczone. Powietrze nasycano zapachem najkosztowniejszych wonności. Heroldzi ogłaszali zalety dań godnych szczególnej uwagi i objaśniali, z jakich względów zasługują one na dobre przyjęcie; nie zapominano wreszcie o niczym, co mogłoby zaostrzyć apetyt, podtrzymać zainteresowanie i przedłużyć przyjemność.

Ten przepych miał wszakże swoje wypaczenia i dziwactwa. Na pewnych ucztach podawano tysiące ptaków i ryb albo potrawy tę tylko mające zaletę, że kosztowały drogo, jak danie zrobione z mózgów pięciuset strusiów czy z języków pięciu tysięcy gadających ptaków.

Z tego, co powiedziane wyżej, można łatwo zdać sobie sprawę, jak wielkie sumy przeznaczał Lukullus na potrzeby stołu i ile kosztowały go fety wydawane w sali Apolla, gdzie regułą było użycie wszelkich znanych sposobów, byle tylko przysporzyć rozkoszy zmysłowych biesiadnikom.

Odrodzenie Lukullusa

Te dni chwały mogłyby powrócić w naszych czasach; brak nam jedynie Lukullusa. Ale wyobraźmy sobie, że jakiś niezmiernie bogaty człowiek chce uczcić wielkie wydarzenie polityczne czy finansowe i wydać z tej okazji pamiętną fetę, nie dbając o koszty.

Wyobraźmy sobie, że przyzywa pomocy wszystkich sztuk dla ozdobienia sal, gdzie będzie się odbywało przyjęcie, i że zleca kucharzom, by skorzystali ze wszystkich środków, jakimi rozporządza ich kunszt, a piwnicznym, by uraczyli gości winami najpierwszej jakości;

że podczas tego uroczystego wieczoru każe wystawić dwie sztuki zagrane przez najlepszych aktorów;

że zamawia balet, który zostanie pokazany w przerwie między obiadem i kawą, i że wystąpią w nim najlepsi tancerze i najwdzięczniejsze tancerki Opery;

że wieczór zakończy bal, który zgromadzi dwieście najpiękniejszych kobiet i czterystu najelegantszych mężczyzn;

że w bufecie ani na chwilę nie zabraknie najwyborniejszych napojów gorących, odświeżających i mrożonych;

że około północy umiejętnie przygotowana kolacja przyda zebranym nowego wigoru;

że służba będzie urodziwa i pięknie przystrojona, a oświetlenie rzęsiste, że wreszcie gospodarz, nie zapomniawszy o niczym, zadba o przyjazd i powrót do domu swoich gości.

Jeśliby taka feta została dobrze pomyślana, starannie ułożona i należycie zrealizowana, jest pewne, że zadrżałby sam Lukullus; każdy, kto zna Paryż, zgodzi się ze mną w tym względzie.

Objaśniając, co należałoby uczynić, by pójść w ślady tego wspaniałego Rzymianina, nie pominąłem żadnego z obyczajów ówczesnych: podczas uczty występowali aktorzy, śpiewacy, mimowie, błazny; nie zapomniano o niczym, byle tylko przysporzyć przyjemności zaproszonym gościom.

Praktyki Ateńczyków, Rzymian, nasze w wiekach średnich, dzisiejsze wreszcie mają swoje źródło w naturze człowieka, który niecierpliwie czeka końca swoich zajęć i szczególnego zaznaje niepokoju, jeśli czas jego życia nie jest bez reszty wypełniony.

Lectisternium et incubitatium

Rzymianie jedli leżąc, podobnie jak Ateńczycy; ale doszli do tego drogą niejako okólną.

Zrazu Rzymianie posługiwali się łożami tylko podczas obiat składanym bogom; ten zwyczaj przejęli potem ludzie piastujący najwyższe urzędy i potężni, wreszcie stał się on powszechny i przetrwał aż po początku czwartego wieku ery chrześcijańskiej.

Te łoża, które z początku były czymś w rodzaju ław wyściełanych słomą i przykrytych skórami, wkrótce stały się równie zbytkowne jak wszystko, co miało związek z ucztą. Łoża robiono z najdroższych gatunków drzew, inkrustowano je kością słoniową i złotem, niekiedy nawet drogimi kamieniami; poduszki były nadzwyczajnej miękkości, a tkaniny zdobne wspaniałymi haftami.

Biesiadnik leżał na lewym boku, opierając się na łokciu; na jednym łożu spoczywały zazwyczaj trzy osoby.

Czy ten sposób, zwany przez Rzymian *lectisternium*, był bardziej wygodny niż stosowany wcześniej, a przyjęty przez nas? Nie sądzę.

Pozycja leżąca żąda niejakiego wysiłku, aby równowaga mogła zostać zachowana; ciężar ciała spoczywający na ręce przyczynia trochę bólu.

Fizjologicznie rzecz biorąc, można powiedzieć, że jedzenie na leżąco ma w sobie pewną nienaturalność: pokarmy trudniej przechodzą do żołądka i gorzej się w nim układają.

Szczególnej trudności przysparzało Rzymianom picie; trzeba było bardzo uważać, żeby nie rozlać wina z szerokich czar, które podawano w bogatych domach; zapewne w czasach *lectisternium* narodziło się przysłowie, które powiada, że między czarą a ustami marnuje się wiele wina.

Niełatwo też było jeść schludnie na leżąco, zwłaszcza jeśli pamiętać, że wielu biesiadników nosiło długie brody i że posługiwano się palcami: widelce są wynalazkiem nowożytnym, nie znaleziono ich w ruinach Herkulanum, choć natrafiono tam na łyżki.

Wolno też mniemać, że podczas uczt zdarzały się rzeczy zdrożne, że często przebierano miarę na owych łożach, gdzie spoczywały osoby płci obojga i gdzie nierzadko biesiadnicy usypiali.

Nam pransus jaceo, et satur supinus
Petrundo tunacamque, palliumque[14].

Jakoż obyczajność nie omieszkała w tej kwestii zabrać głosu.

Ledwie religia chrześcijańska, po pierwszym okresie krwawych prześladowań, doszła do niejakich wpływów, jej kapłani powstali przeciw tak wielkiemu brakowi umiaru. Potępiali długo trwające uczty, podczas których, gwałcąc wszelkie ich zalecenia, zabawiano się tak rozkosznie. Sami wybrawszy wstrzemięźliwość w jedzeniu i piciu, smakoszostwo uznali za jeden z grzechów głównych, z goryczą mówili o pomieszaniu płci, a szczególnym przedmiotem ich krytyki był zwyczaj jedzenia na łożach, który zdawał im się rezultatem grzesznej słabości i główną przyczyną godnych ubolewania nadużyć.

Ich groźny głos został wysłuchany; łoża znikły z sal, gdzie ucztowano, powrócono do jedzenia na

---

[14] Bowiem podjadłszy leżę na wznak i z sytości
Rozluźniam sobie całkiem i płaszcz, i tunikę.

siedząco: rzadkim zaiste szczęściem nakaz naturalny nie obrócił się przeciwko przyjemności.

Najazd
barbarzyńców
Pięć czy sześć wieków, które omówiliśmy na
kilku zaledwie stronicach, były pięknymi czasami
dla miłośników kuchni i tych, co się nią zajmują;
przyjście, a raczej wtargnięcie ludów z Północy
zmieniło wszystko, wszystkim wstrząsnęło od pod-
staw. Po dniach chwały przyszły długie i straszne ciemności.

Z pojawieniem się barbarzyńców kultura jedzenia upadła wraz z innymi kunsztami, których jest
ona towarzyszką i osłodą. Większość kucharzy za-
mordowano w pałacach, gdzie pełnili służbę; inni
uciekli, bo nie chcieli raczyć ciemiężców ojczyzny;
usługi niewielkiej garstki pozostałych odrzucono
ku ich wstydowi. Okrutne usta i płonące gardła
najeźdźców były nieczułe na rozkosze delikatnego
jedzenia. Ogromne połcie mięsa i zwierzyny, nie-
prawdopodobne ilości mocnych napojów wystar-
czały, by ich zachwycić; a ponieważ uzurpatorzy
byli zawsze pod bronią, większość ich uczt kończyła
się orgiami i sale spływały krwią.

Ale z natury rzeczy wynika, że nadużycia nie
mogą trwać długo. Zwycięzcy zmęczyli się własnym okrucieństwem; pojednali się z podbitymi,
ucywilizowali nieco i zaczęli poznawać słodycze
towarzyskiego życia.

To złagodzenie obyczajów odbiło się również na
sposobie jedzenia. Zapraszano przyjaciół nie tyle
po to, by im napchać brzuchy, ile żeby ich uraczyć;
oni znowuż zaczęli dostrzegać trudy gospodarzy;
przyjemności stały się bardziej przyzwoite, a gościnność serdeczna.

Poprawa, która nastąpiła około piątego wieku
naszej ery, uwidoczniła się jeszcze bardziej za panowania Karola Wielkiego; z jego kapitularzy można

wnosić, że ten wielki władca dbał osobiście o to, by przynależne mu ziemie bogato zaopatrywały jego stół.

Za rządów Karola Wielkiego i jego następców uczty stały się wykwintne i rycerskie; damy zjawiały się na dworze; z ich rąk otrzymywano nagrody; na stołach można było zobaczyć bażanta o złoconych łapach i pawia z rozpostartym ogonem, podawane przez paziów w strojach szytych złotem i panny, które w swej niewinności nie zawsze gardziły kokieterią.

Zwróćmy uwagę, że po raz już trzeci kobiety – odosobnione u Greków, Rzymian i Franków – pojawiają się, aby przydać blasku ucztom. Tylko Turcy oparli się tej potrzebie; straszliwe jednak burze zawisły nad tym nietowarzyskim narodem i trzydzieści lat temu potężny głos armat oznajmił wyzwolenie odalisek.

Postęp w tym względzie był coraz większy i trwa aż do naszych czasów.

We Francji aż do końca wieku siedemnastego najbardziej utytułowane kobiety same zajmowały się kuchnią, uważając, że należy to do obowiązków gościnności.

Ich piękne ręce dokonywały niekiedy osobliwych cudów; węgorz miał język węża, zając uszy kota, nie brakło też innych facecji w tym rodzaju. Panie obficie używały ziół, które Wenecjanie zaczęli przywozić ze Wschodu, a także pachnących wód dostarczanych przez Arabów; ryby gotowano czasem w wodzie różanej. Zbytkowny stół to była przede wszystkim obfitość dań; rzeczy poszły tak daleko, że nasi królowie uznali za konieczne ukrócić nieco te zapędy, wydając prawo przeciw zbytkowi, które spotkał podobny los jak prawa greckie i rzymskie. Śmiano się z nich, obchodzono na wszelkie sposoby, wreszcie poszły w niepamięć; przetrwały jedynie jako dokumenty historyczne.

Nadal więc w miarę możności zażywano rozkoszy stołu, zwłaszcza w opactwach i klasztorach, albowiem ich zasoby mniej były wystawione na przypadki i niebezpieczeństwa wewnętrznych wojen, które tak długo gnębiły Francję. Ponieważ jest rzeczą pewną, że damy francuskie miały mniejszy czy większy udział w sprawach kuchni, wywieść stąd należy, że im zawdzięczamy bezsporne pierwszeństwo kuchni francuskiej w Europie; polega ono przede wszystkim na ogromnej ilości potraw wykwintnych, lekkich i smakowitych, które tylko kobiety mogły wymyślić.

Powiedziałem, że zażywano rozkoszy stołu ile możności; ale nie zawsze taka możność istniała. Nawet wieczerze naszych królów często zależały od przypadku. Wiadomo, że w czasie wojen domowych nie zawsze było do czego zasiadać, i Henryk IV musiałby pewnego wieczora poprzestać na bardzo chudym posiłku, gdyby nie wpadł na pomysł zaproszenia do swego stołu mieszczanina – szczęśliwego właściciela jedynego indyka w mieście, gdzie król miał spędzić noc.

Tymczasem umiejętności rozwijały się z wolna; krzyżowcy przynieśli nam szalotkę z równin Askalonu; pietruszka przywędrowała z Italii; i na długo jeszcze przed panowaniem Ludwika IX masarze i kiełbaśnicy na wyrobach z wieprza wsparli nadzieję bogactwa, którego godne uwagi przykłady mamy przed oczami.

Sukcesy cukierników były nie mniejsze; ich wyroby stały się godną ozdobą wszystkich uczt. Jeszcze przed Karolem IX utworzyli we Francji potężny cech; ten władca zaś nadał im statuty, wśród których figuruje przywilej robienia opłatków mszalnych.

W połowie siedemnastego wieku Holendrzy sprowadzili kawę do Europy[15]. Soliman-Aga, ów potężny Turek, za którym przepadali nasi przodkowie, pierwszy poczęstował ich tym napojem w 1660; pewien Amerykanin sprzedawał kawę publicznie na jarmarku w Saint-Germain w 1670; pierwszą kawiarnię z marmurowymi stolikami i lustrami, mniej więcej taką, jakie widzi się dzisiaj, otwarto przy ulicy Saint-André-des-Arts.

Wtedy także zaczął pojawiać się cukier[16]; a ponieważ Scarron skarży się, że siostra ze skąpstwa zmniejszyła dziurki w jego cukiernicy, wiemy przynajmniej, że w jego czasach ten przedmiot był w użyciu.

W siedemnastym wieku wchodzi w użycie wódka. Destylacja, której pierwszy pomysł przywieźli krzyżowcy, należała do arkanów znanych niewielkiej liczbie wtajemniczonych. Z początkiem panowania Ludwika XIV alembiki stały się rzeczą pospolitą, ale za tego króla wódka nie zdobyła jeszcze popularności; od niewielu dopiero lat, idąc krok po kroku, można było uzyskać alkohol dzięki jednej tylko operacji.

Mniej więcej w tym samym czasie zaczęto używać tytoniu; tak więc cukier, kawa, wódka i tytoń, cztery produkty mające wielkie znaczenie dla handlu i dla skarbu, są znane zaledwie od dwu wieków.

---

[15] Holendrzy byli pierwszymi Europejczykami, którzy przywieźli sadzonkę kawowca z Arabii – wpierw do Batawii, skąd poszła do innych krajów. Pan de Reissout, generał artylerii, sprowadził sadzonkę z Amsterdamu i ofiarował Ogrodowi Królewskiemu: był to pierwszy kawowiec w Paryżu. To drzewo, które pierwszy opisał Jussieu, miało w 1613 roku cal obwodu i pięć stóp wysokości; owoc jest bardzo ładny i przypomina trochę czereśnię (Przyp. aut.).
[16] Cokolwiek mówi na ten temat Lukrecjusz, starożytni nie znali cukru. Produkcja cukru wymaga umiejętności; nieskrystalizowana trzcina cukrowa daje napojom smak mdły i jest bezużyteczna (Przyp. aut.).

Panowanie Ludwika XIV i Ludwika XV

Pod tymi auspicjami rozpoczął się wiek Ludwika XIV; za jego wspaniałych rządów sztuka ucztowania szła z postępem, który przyniósł rozkwit wszystkim innym sztukom.

Do dziś przetrwała pamięć owych zabaw, na które zjeżdżała się cała Europa, turniejów, gdzie po raz ostatni zabłysły lance – zastąpione później przez bagnety – i gdzie po raz ostatni włożono zbroje, tak lichą osłonę przed armatnią kulą.

Wszystkie te uroczystości kończyły się wspaniałymi bankietami, będącymi jak gdyby ich uwieńczeniem; albowiem taki już jest człowiek, że nie zazna pełnego szczęścia, dopóki smak jego nie zostanie ukontentowany. Ta przemożna potrzeba objęła nawet gramatykę; tak dalece, że dla określenia doskonałości rzeczy powiadamy, że zrobiono ją ze smakiem.

W rezultacie ci, co kierowali przygotowaniami do tych fet, stali się ludźmi znacznymi, i nie bez racji; musieli bowiem połączyć wiele rozmaitych zalet, a to: umiejętność dyspozycji, zdolność stosowania proporcji, bystrość odkrycia, stanowczość, która budzi posłuch, i niezawodną punktualność.

W tych wielkich okazjach zaczęła się rozwijać sztuka dekoracji, która łącząc malarstwo i rzeźbę, daje oku miłe widowisko; czasem nawet całą miejscowość trzeba było przysposobić stosownie do wydarzenia czy głównego bohatera uroczystości.

W tym właśnie objawiła się wielkość czy nawet ogrom sztuki kucharza; ale wkrótce spotkania mniej liczne i posiłki bardziej wyszukane domagały się starań bardziej przemyślanych i dokładniejszych.

W salonach faworyt, na wyrafinowanej kolacji u dworaka czy finansisty można było podziwiać sztukę artystów, którzy ożywieni chwalebnym współzawodnictwem starali się prześcignąć nawzajem.

U końca tego panowania nazwiska najsławniejszych kucharzy łączyły się niemal zawsze z nazwiskami ich panów, wielce tym pochlebionych. Zasługi były wspólne: w książkach kucharskich okryte chwałą imiona figurują obok pomysłów kulinarnych, które ci wielmoże wspomogli, odkryli czy rozpowszechnili.

Ta praktyka ustała: jesteśmy nie mniejszymi smakoszami niż nasi przodkowie; ale mniej pamiętamy o tych, co królują w kuchniach. Niedbały poklask, oto wszystko, co ofiarowujemy artyście, który wzbudził w nas zachwyt; jedynie restauratorzy, to znaczy kucharze publiczni, cieszą się osobistym szacunkiem i w rezultacie rychło stają się najmajętniejszymi ludźmi. *Utile dulci.*

Z portów Lewantu przywieziono Ludwikowi XIV *épine d'été*, którą nazywał dobrą gruszką; a jego starości mamy do zawdzięczenia likiery.

Król opadał niekiedy z sił i doświadczał tych zmęczeń, co tak często są udziałem ludzi po przekroczeniu lat sześćdziesięciu; łącząc wódkę z cukrem i zapachami, robiono więc dla niego napoje pokrzepiające, wedle zwyczaju owych czasów zwane kordiałami. Taki jest początek likierów.

Warto zauważyć, że mniej więcej w tym samym czasie sztuka gastronomiczna kwitła na dworze angielskim. Królowa Anna była wielką smakoszką; nic gardziła rozmowami ze swoim kucharzem i wśród przepisów angielskich wiele związanych jest z jej imieniem (*after queen's Ann fashion*).

Sztuka kucharska, która nie poczyniła postępów za pani de Maintenon, rozwinęła się znacznie za czasów Regencji.

Książę Orleanu, człowiek dowcipny i godzien posiadania przyjaciół, zapraszał ich na posiłki równie wyrafinowane, jak dobrze obmyślane. Z pewnych źródeł wiem, że szczególnym uznaniem cieszyły się na jego stole w specjalny sposób fermentowane wina, *matelote* nieustępująca tej, którą jada się nad brzegami wód, i indyki bogato nadziane truflami.

Indyk z truflami, którego sława i cena wciąż rośnie! O łaskawa gwiazdo, której pojawienie się olśniewa, opromienia i o drżenie przyprawia smakoszy wszystkich kategorii!

Panowanie Ludwika XV nie mniej było przychylne dla sztuki kulinarnej. Osiemnaście lat pokoju łatwo zaleczyło wszystkie rany po sześćdziesięciu latach wojen; bogactwa produkcji udostępnione przez handel czy nabywane przez dzierżawców podatków, zniosły nierówności fortun i wszystkie klasy społeczne objął duch gościnności.

Począwszy od tej epoki do posiłków wprowadzono większy porządek, czystość, elegancję oraz najrozmaitsze udoskonalenia, które, wciąż nie ustając, dziś zdają się przekraczać granice rozsądku i grożą nam śmiesznością.

Jeszcze za Ludwika XV domy skromniejsze oraz panie będące na utrzymaniu stawiały kucharzom wymagania, które obróciły się na korzyść kunsztu.

Bardzo łatwo jest podejmować wielką liczbę ludzi o potężnych apetytach: mięso od rzeźnika, zwierzyna, ptactwo i kilka pięknych ryb to dość na skomponowanie posiłku dla sześćdziesięciu osób.

Żeby jednak uradować usta, które otwierają się tylko po to, by powiedzieć wdzięczne słówko, żeby znęcić kobiety delikatne, poruszyć papierowe żołądki i ożywić nikły i skory do gaśnięcia apetyt, trzeba większego geniuszu, przenikliwości i pracy niż do rozwiązania najtrudniejszego problemu z geometrii nieskończoności.

Ludwik XVI

Doszedłszy do panowania Ludwika XVI i czasów rewolucji nie będziemy szczegółowo rozpatrywać zmian, których byliśmy świadkami; poprzestaniemy na ogólnym omówieniu udoskonaleń po roku 1774.

Wskrzeszono greckie słowo g a s t r o n o m i a; uchu francuskiemu wydało się ono miłe i choć nie jest całkiem zrozumiałe, wystarczy je wymówić, aby wszystkie fizjonomie rozjaśnił uśmiech wesołości. Zaczęto oddzielać smakoszostwo od obżarstwa i żarłoczności; stało się ono skłonnością, o której można mówić jako o zalecie towarzyskiej, miłej dla gospodarza, korzystnej dla gościa, pożytecznej dla wiedzy, i smakosze zajęli miejsce obok wszystkich innych amatorów, którzy mają swoje uznane predylekcje. Upodobanie do biesiad objęło wszystkie klasy społeczne, spotkania stały się liczniejsze i każdy podejmując gości, stara się im ofiarować to, co najlepszego zobaczył w wyższych sferach.

Znajdując przyjemność we wspólnym przebywaniu, przyjęto bardziej wygodny podział czasu: na interesy przeznaczono godziny od poranka aż do zmierzchu, pozostałe zaś na miłe ucztowanie.

Nowością jest śniadanie południowe, posiłek o charakterze specjalnym dzięki daniom, z których się składa, wesołości, która mu towarzyszy, i niedbałemu strojowi, który jest tu dopuszczalny.

Wprowadzono herbatę, rodzaj zupełnie nadzwyczajny: częstuje się nią osoby będące i po dobrym obiedzie, a więc zakładając, że nikt nie jest głodny ani spragniony; jakoż herbatę pije się dla rozrywki oraz z łakomstwa.

W zwyczaj weszły bankiety polityczne: urządza się je od trzydziestu lat za każdym razem, I kiedy trzeba wywrzeć wpływ na znaczną liczbę osób; na takich bankietach jedzenie jest znakomite, ale nikt nie zwraca na nie uwagi, o przyjemności zaś wspomina się tylko w sprawozdaniach.

Wreszcie restauracje, wynalazek najświeższej daty, z którego doniosłości nie zdawano sobie dostatecznie sprawy; dzięki niemu wszakże człowiek będący właścicielem kilku pistoli może natychmiast, niezawodnie i kiedy tylko ma ochotę, zaznać wszystkich przyjemności dobrego jedzenia.

Restauratorzy

Restaurator jest człowiekiem, którego zawód polega na tym, że w każdej chwili może podać na żądanie klienta posiłek z dań podzielonych na porcje o ustalonych cenach.

Zakład nazywa się restauracją, ten, który go prowadzi, restauratorem. Spis dań z określeniem cen nazywa się kartą, rachunkiem zaś wyliczenie podanych potraw wraz z ich ceną.

Wśród tych, co tłumem cisną się do restauratorów, niewielu podejrzewa, że człowiek, który wymyślił restaurację, musiał być obdarzony geniuszem i głębokim zmysłem obserwacji.

Naprawimy ten błąd i zbadamy następstwo myśli, które przywiodły do powstania instytucji tak użytecznej i wygodnej.

Instytucja

Około 1770 roku, po wiekopomnym panowaniu Ludwika XIV, szelmostwach Regencji i długim spokoju za ministerium kardynała Fleury, cudzoziemcy w Paryżu mieli bardzo niewielkie możliwości, jeśli idzie o dobry stół.

Musieli żywić się w oberżach, gdzie jedzenie było na ogół kiepskie. Pewne hotele prowadziły co prawda kuchnię, ale wyjąwszy kilka z nich, podawano tam tylko to, co najkonieczniejsze i jedynie w ustalonych godzinach.

Można było szukać ratunku w traktierniach; ale tam znów sprzedawano tylko całe sztuki i ktoś, kto chciał uraczyć kilku przyjaciół, musiał zamawiać posiłek z góry; tak więc ludzie, którzy nie mieli szczęścia bywać w bogatych domach, opuszczali stolicę, nie znając ani zasobów, ani przysmaków kuchni paryskiej.

Ten porządek rzeczy, przeciwny interesom codziennym, nie mógł trwać długo i ci, co zdolni byli do głębszej myśli, zaczęli zastanawiać się nad poprawą.

Wreszcie znalazł się człowiek z głową na karku, który pojął, że przyczyna tak ważka nie może być bez skutku; że skoro ludzie doznają co dzień o tych samych godzinach tej samej potrzeby, stawią się tłumnie tam, gdzie ta potrzeba zostanie mile zaspokojona; że jeśli ów, co zjawi się pierwszy, zażąda piersi ptaka, kto inny zadowoli się udkiem; że ukrojenie w kuchni plastra mięsa nie pohańbi reszty; że klient zamknie oczy na nieco wyższy rachunek, jeśli będzie dobrze, szybko i schludnie obsłużony; że nie dojdzie się nigdy do ładu, jeśli konsumenci będą mogli podawać w wątpliwość cenę i jakość

zamówionych dań; że w końcu rozmaitość potraw w połączeniu ze stałymi cenami tę ma zaletę, że odpowiada każdej kieszeni.

Człowiek, który to wszystko przemyślał, rozważył również wiele innych rzeczy, łatwych do odgadnięcia. Był on pierwszym restauratorem i stworzył profesję, która przynosi fortunę, ilekroć w jej uprawianiu uczestniczy dobra wola, zmysł ładu i umiejętność.

Zalety restauracji

Restauracje, które od Francji przejęła Europa, bardzo są dogodne dla obywateli i wielkie mają znaczenie dla wiedzy.

1. Każdy człowiek może zjeść obiad o godzinie, która mu odpowiada, i stosownie do okoliczności, jakie wyznaczają jego zajęcia i rozrywki.

2. Może być pewien, że nie wyda na posiłek więcej, niż sobie zamierzył, zawczasu bowiem zna cenę każdej podanej mu potrawy.

3. Doszedłszy do porozumienia ze swoją sakiewką, może wedle woli wybrać posiłek solidny, lekki lub wyszukany, popijając najlepsze wina francuskie czy obce, kosztując aromatycznej mokki,

zaznając smaku pachnących likierów z Nowego i Starego Świata, ograniczony li tylko swym apetytem czy pojemnością żołądka. Sala restauracyjna to Eden smakoszy.

4. Istnienie restauracji jest nadzwyczaj dogodne dla podróżnych, dla cudzoziemców, dla tych, których rodziny są chwilowo na wsi, słowem, dla wszystkich, co albo nie prowadzą kuchni w domu, albo są jej na pewien czas pozbawieni.

Przed epoką, o której mówiliśmy (1770), niemal tylko ludzie bogaci i możni korzystali z dwóch przywilejów: podróżowali szybko i jadali dobrze.

Nowe pojazdy, które robią pięćdziesiąt mil na dobę, zniosły przywilej pierwszy; powstanie restauracji obaliło drugi; najlepsze jedzenie stało się dostępne dla wszystkich.

Każdy człowiek, który rozporządza piętnastu czy dwudziestu frankami i zasiada przy stole restauratora pierwszej kategorii, jest obsłużony równie dobrze, jeśli nie lepiej, jak przy książęcym stole: posiłek, który zamawia, tak samo jest świetny; nie jest skrępowany żadnymi względami osobistej natury; wybór dań zależy tylko od niego.

Rzut oka na salę restauracyjną

Sala restauracyjna, jeśli przyjrzeć się jej dokładnie, ukazuje badawczemu oku filozofa widowisko w swej różnorodności wielce godne uwagi.

W głębi siedzą konsumenci samotni, którzy zamawiają potrawy głośno, czekają niecierpliwie, jedzą szybko, płacą i wychodzą.

Są to podróżujące rodziny, które, choć zadowolone z prostego posiłku, zaostrzają sobie apetyt kilku nieznanymi potrawami i z satysfakcją oglądają widowisko zgoła dla nich nowe.

Obok małżonkowie paryscy: poznać ich po szalu i kapeluszu wiszących obok; od dawna już nie mają sobie nic do powiedzenia. Wybierają się zapewne na jakiś skromny spektakl i można iść o zakład, że jedno z nich na nim uśnie.

Dalej para kochanków; widać to po jego gotowości, jej pieszczotliwych słówkach i smakoszostwie obojga. Oczy błyszczą im przyjemnością; i z kompozycji ich posiłku można odgadnąć przeszłość i przewidzieć przyszłość.

Pośrodku nakryty stół codziennych bywalców, którzy często korzystają tu z rabatu i jadają obiady po stałej cenie. Znają oni z imienia wszystkich kelnerów, ci zaś informują ich dyskretnie, co kuchnia ma najświeższego i nowego. Bywalcy są niby ośrodek, centrum, wokół którego gromadzą się inni, czy też – lepiej jeszcze – niby kaczki, których używa się w Bretanii, żeby zwabić kaczki dzikie.

Można tu spotkać również osoby, których twarze znają wszyscy, choć nikt nie zna ich nazwisk. Czują się swobodnie jak we własnym domu i dość często próbują nawiązać rozmowę z sąsiadami. Należą do tego gatunku ludzi, których spotkać można tylko w Paryżu; nie mając ani majątków, ani kapitałów, ani żadnego przedsiębiorstwa, żyją na szerokiej stopie i nie szczędzą grosza.

Wreszcie cudzoziemcy, zwłaszcza Anglicy; ci ostatni zamawiają podwójne porcje mięsa, żądają najdroższych dań i najlepszych win, i nie zawsze potrafią opuścić lokal o własnych siłach.

Dokładność tego opisu sprawdzi, kto zechce, co dzień; widowisko ciekawe, z którego, być może, da się wyciągnąć morał.

Rzecz pewna, że okazja i potężna pokusa przywodzą wielu ludzi do wydatków przekraczających ich możliwości. Organizmy delikatne płacą za to niejaką niestrawnością, zaś Wenus niskiego autoramentu, stąd bierze niewczesne ofiary.

Strony ujemne

Lecz bardziej zgubny dla ładu społecznego jest fakt w naszym rozumieniu pewny, że samotne ucztowanie umacnia egoizm, przyzwyczaja jednostkę oglądać się tylko na siebie, odcina ją od otoczenia, skłania do nieokazywania mu względów; i ze sposobu zachowania się w towarzystwie przed posiłkiem, podczas jego trwania i potem łatwo rozpoznać ludzi, co jadają zazwyczaj w restauracjach.

Powiedzieliśmy, że powstanie restauracji ma wielkie znaczenie dla wiedzy.

Współzawodnictwo

W istocie, odkąd doświadczenie dowiodło, że umiejętnie przyrządzona potrawa może przynieść fortunę jej wynalazcy, interes, ów potężny motor, rozpalił wszystkie wyobraźnie i pchnął do czynu wszystkich kucharzy.

Dzięki analizie odkryto cząstki jadalne w substancjach uznanych dotąd za bezużyteczne; znaleziono nowe artykuły spożycia; udoskonalono dawne, jedne i drugie łącząc na tysiące sposobów. Z zagranicy przyszły nowe pomysły; świat cały składa kuchni daniny i zdarzają się posiłki, które dają pełny przegląd gastronomicznej geografii.

Restauracje o stałych cenach

Podczas gdy kunszt się rozwijał, odkryć było coraz więcej i rosły ceny (bo za nowość zawsze trzeba płacić), ta sama przyczyna, to jest nadzieja zysku, skierowała go w kierunku przeciwnym: dotyczy to przynajmniej wydatków.

Kilku restauratorów postawiło sobie za cel dobrą kuchnię połączyć z umiarkowaną ceną i mając na oku średnio zamożnych ludzi, z natury rzeczy najliczniejszych, chciało w ten sposób zapewnić sobie liczną klientelę.

Spośród niezbyt drogich produktów wybrali te, które przyrządzone umiejętnie zyskają najwięcej na smaku.

Mięso od rzeźnika, zawsze dobre w Paryżu, oraz morskie ryby, dostępne tu w obfitości, stały się dla nich źródłem niewyczerpanym; ponadto warzywa i owoce, tanie dzięki nowym sposobom uprawy Obliczyli, co ściśle konieczne, aby napełnić żołądek o średniej pojemności i ugasić pragnienie, którego nie można nazwać bezwstydnym.

Zauważyli, że liczne produkty są drogie tylko dlatego, że są nowością albo wskutek pory roku; czas przyjdzie na nie później, kiedy spadną w cenie. Z wolna też doszli do ustalenia, że zarabiając dwadzieścia pięć albo trzydzieści od sta, można dać stałym klientom za dwa franki, albo mniej, obiad wystarczający, którym zadowoli się każdy dobrze urodzony człowiek, skoro co najmniej tysiąc franków miesięcznie kosztowałoby go prowadzenie w domu równie dobrze zaopatrzonej i urozmaiconej kuchni.

Z tego punktu widzenia restauratorzy oddali znaczną przysługę tej części mieszkańców wielkiego miasta, która składa się z cudzoziemców, wojskowych i urzędników, i powodowani interesem doszli do rozwiązania problemu przeciwnego własnej korzyści na pozór: karmić przy cenach umiarkowanych dobrze, a nawet tanio.

Restauratorom, którzy poszli tą drogą, powiodło się nie gorzej niż innym ludziom z ich fachu: nie ponieśli strat, jakie są udziałem tych, co postępują na odwrót; a ich fortuna, choć zdobywana wolniej, była pewniejsza; jeśli bowiem zarabiają mniej za jednym razem, to zarabiają co dzień, jest zaś prawdą matematyczną, że ta sama ilość jedności daje sumę jednaką, czy sumuje się dziesiątki, czy jedności.

Znawcy zapamiętali nazwiska artystów, którzy zabłysnęli w Paryżu, odkąd powstały restauracje. Oto one: Beauvilliers, Méot, Robert, Rose, Legacque, Bracia Véry, Henneveu i Baleine.

Kilka z tych zakładów zawdzięcza sukces przyczynom specjalnym, a to: „Ssące cielę" – nóżkom baranim; ... flakom z rożna; „Bracia Prowansalscy" – wątłuszowi z czosnkiem; Véry – daniom z truflami; Robert – obiadom na zamówienie; Baleine – staraniom, jakich nie szczędził, aby mieć wy-

borne ryby; Henneveu – tajemniczym gabinetom na czwartym piętrze jego restauracji. Ale spośród tych wszystkich bohaterów gastronomii żaden nie zasługuje bardziej na wzmiankę biograficzną niż Beauvilliers, którego śmierć oznajmiły dzienniki w roku 1820.

Beauvilliers

Beauvilliers, który otworzył swój zakład około 1782, był przez piętnaście lat z górą najsławniejszym restauratorem paryskim.

Pierwszy miał lokal wykwintny, kelnerów dobrze ułożonych, wyborową piwnicę i znakomitą kuchnię; i kiedy kilku spośród wyżej wymienionych próbowało mu dorównać, wyszedł z walki zwycięsko, albowiem kilka kroków tylko trzeba mu było zrobić, aby znaleźć się na drodze naukowego postępu.

Podczas dwu kolejnych okupacji Paryża, w 1814 i 1815, przed jego zakładem stale zatrzymywały się pojazdy wszelkich narodowości; znał wszystkich dowódców wojsk cudzoziemskich i w końcu mówił ich językami o tyle, o ile było to dla jego interesu konieczne.

Pod koniec życia Beauvilliers opublikował dzieło w dwóch tomach in 8°, *Sztuka kucharza*. To dzieło, owoc długiego doświadczenia, mówi o światłej praktyce i cieszy się nadal szacunkiem, który towarzyszył mu od początku. Nikt przedtem nie rozważał kunsztu kucharskiego w sposób równie dokładny i metodyczny. Książka, która miała wiele wydań, przyczyniła się do powstania innych, ale nadal jest nieprześcigniona.

Beauvilliers miał niezwykłą pamięć: po dwudziestu latach rozpoznawał osoby, które jadły u niego raz albo dwa razy; stosował też w pewnych wypadkach metody sobie tylko właściwe. Gdy jakieś bogate towarzystwo zasiadało w jego lokalu, podchodził z ugrzecznioną miną i wyrazami szacunku, zdając się okazywać gościom zupełnie szczególne względy.

Wskazywał potrawę, której nie należało brać, i zalecał inną, której zaraz zabraknie; kazał podawać trzecią, o której nikt nie myślał; posyłał po wino z piwnicy, do której on tylko miał klucz; przybierał wreszcie ton tak miły i ujmujący, że wszystkie te dodatki zdawały się uprzejmością z jego strony. Ale w roli gospodarza występował tylko przez chwilę; znikał zrobiwszy to, co do niego należało; wkrótce potem imponujący rachunek i gorzka chwila opróżniania sakiewki były niezbitym dowodem, że ucztowało się u restauratora.

Beauvilliers zrobił majątek, utracił go, i tak wielokrotnie; nie wiemy, w którym z tych momentów zaskoczyła go śmierć, ale umiał tak łatwo pozbywać się pieniędzy, że nie wygląda na to, by sukcesja po nim była wielkim łupem.

Z przeglądu kart u rozmaitych restauratorów pierwszej klasy, a zwłaszcza u Braci Véry i u „Braci Prowansalskich" wynika, że zasiadając do restauracyjnego stołu, klient ma do dyspozycji do najmniej:

Gastronomia u restauratora

12 zup,

24 przystawki,

15 albo 20 dań pierwszych z wołowiny,

20 z baraniny,

30 z drobiu albo zwierzyny,

16 albo 20 z cielęciny,

12 rodzajów ciast,

24 dania z ryb,

15 pieczystych,

50 legumin,

50 deserów.

Ponadto szczęśliwy gastronom może popić te potrawy co najmniej trzydziestu rodzajami win wedle swego wyboru, od burgunda począwszy aż do tokaja czy wina z Cap; spis aromatycznych likierów liczy dwadzieścia albo trzydzieści pozycji, nie mówiąc już o kawie oraz napojach takich, jak poncz, *negus*, *sillabud* i inne.

Wśród rozmaitych elementów, składających się na obiad znawcy, główne pochodzą z Francji, jak mięso od rzeźnika, drób, owoce; inne wzięliśmy od Anglików, jak befsztyk, *welchrabbit*, poncz etc.; jeszcze inne są rodem z Niemiec, jak *Sauerkraut*, wołowina hamburska, polędwica ze Szwarcwaldu; inne z Hiszpanii jak *olla-podrida*, *garbanco*, rodzynki z Malagi, pieprzna szynka z Xerica i słodkie wina; jeszcze inne z Włoch, jak makaron, parmezan, kiełbasa bolońska, polenta, lody, likiery; z Rosji są suszone mięsa, wędzone węgorze, kawior; z Holandii dorsz, sery, świeżo solone śledzie, *curaçao*, anyżówka; z Azji ryż indyjski, sago, curry, soja, wino z Szirazu, kawa; z Afryki wino z Cap; z Ameryki wreszcie kartofle, pataty, ananas, czekolada, wanilia, cukier etc. Wszystko to może być dostatecznym dowodem na przytoczone już twierdzenie, a mianowicie: że obiad, jaki można zjeść w Paryżu, jest całością kosmopolityczną, w której każda część świata ma swój udział.

Smakoszostwo
klasyczne w akcji

Pan de Borose urodził się około 1780. Ojciec jego był sekretarzem króla. Rodziców utracił za młodu i wcześnie wszedł w posiadanie czterdziestu tysięcy franków renty. Była to wówczas piękna fortuna; dziś jest to dokładnie tyle, ile trzeba, żeby nie umrzeć z głodu.

Stryj zadbał o jego edukację. Uczył się łaciny bardzo zdumiony, że trzeba zadać sobie tyle trudu, aby mówić te same rzeczy za pomocą innych słów, skoro wszystko można wyrazić po francusku. Poczynił jednak postępy; a kiedy był już przy Horacym, przyszło nawrócenie i z wielką przyjemnością rozważał myśli tak wytwornie ubrane w słowa i nie szczędził wysiłków, by dobrze poznać język, którym mówił ten uduchowiony poeta.

Uczył się również muzyki i po rozmaitych próbach wybrał fortepian, Nie myślał bynajmniej o pokonaniu niezliczonych trudności, jakie nastręcza to muzyczne narzędzie[17], i sprowadzając je do właściwego zastosowania, poprzestał na dobrym akompaniamencie.

Jako akompaniatora ceniono go nawet więcej niż profesorów: nie starał się wysunąć na plan pierwszy ani nie robił wniebowziętych min, ani nie popisywał się uczuciem; wypełniał natomiast sumiennie swoje zadanie, to znaczy, wspierał śpiewaka i pozwalał, by głos mógł objawić się w całej pełni.

W młodości przetrwał szczęśliwie straszne czasy Rewolucji; gdy z kolei powołano go do służby wojskowej, kupił sobie zastępcę, który dzielnie dał się za niego zabić; zaopatrzony w świadectwo swego sobowtóra, znalazł się w sytuacji dogodnej, by móc święcić nasze triumfy lub opłakiwać klęski.

---

[17] Fortepian jest po to, aby ułatwić kompozycję muzyczną i akompaniować głosowi. Jako instrument solowy nie posiada ani ciepła, ani wyrazu. Grę na instrumentach szarpanych Hiszpanie określają słowem *bordonear* (Przyp. aut.).

Pan de Borose był człowiekiem średniego wzrostu, ale doskonale zbudowanym. Twarz miał zmysłową i damy o niej pojęcie, mówiąc, że gdyby znalazł się w jakimś salonie obok Gavaudana z „Variétés", Michota z Teatru Francuskiego i wodewilisty Désaugiersa, w czwórkę wyglądaliby jak ludzie z jednej rodziny. Wszystko razem wziąwszy, uchodził za ładnego chłopca i czasem miał powody, żeby w to wierzyć.

Rozważał możliwość wybrania jakiegoś zawodu; próbował różnych; w każdym jednak widząc niedogodności, poprzestał na próżniactwie nie wolnym od zatrudnień, to znaczy bywał w pewnych literackich towarzystwach, należał do komitetu dobroczynności w swojej dzielnicy udzielał się na spotkaniach filantropijnych; jeśli dodać do tego zarządzanie własnym majątkiem, co robił znakomicie, jasne się stanie, że jak każdy inny miał swoje sprawy, swoją korespondencję i gabinet.

Doszedłszy do lat dwudziestu ośmiu, uznał, że czas się ożenić; swoją przyszłą żonę chciał spotykać tylko przy stole i za trzecim razem był przekonany, że równie jest ładna i dobra, jak bystra.

Szczęście małżeńskie Borose'a było krótkie, w półtora roku po ślubie żona jego zmarła w połogu; żal po tej stracie pozostał w nim na zawsze i pociechę znajdował jedynie w córce imieniem Herminia, którą zajmiemy się później.

Pan de Borose znajdował dość przyjemności w swoich zajęciach. Wszelako stwierdził z czasem, że nawet dobrane towarzystwo nie jest wolne od pretensji, że działają tu protekcje i objawiają się zawiści. Wszystkie te utrapienia składał na karb ludzkiej natury, wszędzie niedoskonałej; bywał nadal, lecz bezwiednie posłuszny woli losu wypisanej w jego rysach, sprawy smaku z wolna uznał za naczelne.

Mawiał, że gastronomia jest refleksją, która ocenia, zastosowaną do wiedzy, którą ulepsza.

Powtarzał za Epikurem[18]: „Czy człowiek został stworzony po to, by gardzić darami natury? Czy przyszedł na ziemię, aby zbierać gorzkie owoce? Dla kogo są kwiaty, które z woli bogów kwitną u stóp śmiertelnych?...

Poddawać się rozmaitym skłonnościom, które podsuwa nam Opatrzność, to być z nią w zgodzie; nasze obowiązki wynikają z jej praw; nasze pragnienie z jej natchnień".

Idąc za mistrzem, powiadał, że dobre rzeczy są dla dobrych ludzi; w przeciwnym razie popadlibyśmy w niedorzeczność, mniemając, że Bóg stworzył je dla złych.

Borose zaczął od tego, że zawezwał swego kucharza, aby mu wyjaśnić, na czym polega istota jego funkcji.

Powiedział mu, że dobry kucharz może stać się umiejętnym dzięki teorii, ale jest nim zawsze dzięki

[18] Alibert, *Physiologie des passions*, t. I, s. 241. (Przyp. aut.).

praktyce; że z racji swoich zatrudnień zajmuje miejsce pomiędzy fizykiem i chemikiem; posunął się nawet do oświadczenia, że kucharz, którego rzeczą jest podtrzymywać nasz organizm, stoi wyżej od farmaceuty, pożytecznego tylko w pewnych okazjach.

Dodał w zgodzie z poglądem myśliciela równie bystrego, jak uczonego[19], że „Kucharz winien pogłębić sztukę przemiany pokarmów wystawionych na działanie ognia, nieznaną starożytnym. W naszych czasach wymaga ona studiów i umiejętnych połączeń. Trzeba przez czas długi rozmyślać nad płodami ziemi, aby móc stosownie użyć przypraw, zaostrzyć smak jednych dań, podnieść zalety innych i korzystać z najlepszych ingrediencji. Kucharzem europejskim jest ten, co celuje w tych cudownych kombinacjach".

Przemowa wywarła głębokie wrażenie i szef kuchni, odtąd świadom swej roli, stał zawsze na wysokości powierzonych mu zadań.

Czas, namysł i doświadczenie pouczyły wkrótce pana de Borose, że skoro liczba dań jest zgodnie z przyjętym zwyczajem mniej więcej niezmienna, dobry obiad nie kosztuje dużo drożej niż kiepski; że za pięćset franków rocznie można pić zawsze doskonałe wina; i że wszystko zależy od woli pana domu, od ładu, jaki zaprowadzi, i postępowania, jakie nakaże wszystkim, co są w jego służbie.

Wspierając się na tych fundamentalnych założeniach, pan de Borose wydawał obiady klasyczne i uroczyste; ich uroki otoczyła sława; zaproszenie na nie uważano sobie za zaszczyt; i pochwałę ich głosili nawet ci, co nigdy nie zasiedli przy jego stole.

Borose nie zapraszał nigdy owych rzekomych gastronomów, którzy są zwykłymi żarłokami o przepastnych żołądkach i jedzą wszędzie, zawsze

---

[19] Ib., s. 196 (Przyp. aut.).

i wszystko. Wybierał miłych biesiadników spośród przyjaciół, należących do trzech pierwszych kategorii gastronomów; ludzie ci, jedząc w skupieniu prawdziwie filozoficznym i przeznaczając na to studium tyle czasu, ile potrzeba, nie zapominają nigdy, że nadchodzi chwila, kiedy rozum mówi apetytowi: *non procedes amplius* (nie pójdziesz dalej).

Zdarzało się często, że sprzedawcy przynosili do jego domu wybrane produkty, które woleli mu odstąpić po cenie umiarkowanej, mając pewność, że zostaną zjedzone w spokoju i z namysłem, że będzie o nich głośno w dobrym towarzystwie, na czym zyska reputacja ich sklepów.

Przy stole pana de Borose rzadko zasiadało więcej niż dziewięć osób, dania zaś nie były nazbyt liczne; ale wytrwałość gospodarza i jego nieskazitelny smak doprowadziły je do doskonałości. Podawano tu zawsze to, co w danej porze roku najlepsze, pierwsze i rzadkie, obsługa zaś była tak staranna, że zaiste nie pozostawiała nic do życzenia.

Rozmowa podczas obiadu zawsze była ogólna, wesoła, a często pouczająca; to ostatnie dzięki specjalnym staraniom amfitriona.

Co tydzień uczony wybitny, acz ubogi, któremu pan de Borose wyznaczył pensję, schodził ze swojego siódmego piętra i przedkładał mu tematy odpowiednie do rozmowy przy stole. Nasz amfitrion odwoływał się do nich, kiedy wyczerpano już bieżące problemy, co ożywiało rozmowę i skracało znacznie dyskusje polityczne, utrudniające zarówno jedzenie, jak trawienie.

Dwa razy w tygodniu zapraszał damy i tak obmyślał zebranie, aby każda z nich miała kawalera zajmującego się tylko nią. Troskliwość nader przyjemna, najsurowsza bowiem cnotka czuje się upokorzona, gdy nikt na nią nie zwraca uwagi.

W te dnie grywano w łatwe *écarté* w inne zasiadano do pikiety i wista, gier poważnych, żądających namysłu i starannego wykształcenia. Najczęściej jednak wieczory upływały na miłej rozmowie; przerywano ją, by wysłuchać kilku pieśni; Borose akompaniował do nich, jak wiemy, z talentem, wynagradzany oklaskami, na które bynajmniej nie był nieczuły.

W pierwszy poniedziałek każdego miesiąca do obiadu u pana de Borose zasiadał proboszcz jego parafii, podejmowany z największymi względami. Tego dnia rozmowa przyjmowała bardziej poważny obrót, pozostawiając wszakże miejsce dla niewinnego żartu. Zacny duszpasterz nie gardził urokami tych zebrań i zdarzało mu się pragnąć chwilami, aby każdy miesiąc miał cztery pierwsze poniedziałki.

W ten właśnie dzień zjawiała się młoda Herminia, która była na pensji pani Migneron; dama towarzyszyła często swej wychowance. Za każdym razem można było w niej dojrzeć nowe wdzięki; uwielbiała ojca i kiedy udzielał jej błogosławień-

stwa, składając pocałunek na czole dziewczęcia, byli najszczęśliwszymi ludźmi w świecie.

Borose dokładał wielkich starań, aby wydatki na utrzymanie stołu przynosiły pożytki cnocie.

Zaufaniem darzył tylko dwóch dostawców, którzy wykazali się rzetelnością, jeśli idzie o jakość produktów, i umiarkowaniem, jeśli idzie o ceny; pouczał ich i wspomagał, gdy zaszła potrzeba, miał bowiem w zwyczaju mówić, że ludzie, co zbyt spiesznie się dorabiają, częstokroć niezbyt są wybredni w wyborze środków.

Jego dostawca win wzbogacił się dość szybko, ponieważ zasłynął jako ten, którego wina są bez domieszki, rzecz nader rzadka już w Atenach za czasów Feryklesa, wyjątkowa zaś w dziewiętnastym wieku.

Uchodzi za rzecz pewną, że to pan de Borose pokierował Hurbainem, restauratorem z Palais-

-Royal; Hurbain, u którego za dwa franki można dostać obiad gdzie indziej kosztujący w dwójnasób, idzie ku fortunie drogą tym pewniejszą, że klientela jego rośnie wskutek umiarkowanych cen.

Dania, które schodziły ze stołu pana de Borose, bynajmniej nie stawały się łupem służby, skądinąd doskonale karmionej; wszystko, co zachowało dobry wygląd, miało swoje specjalne przeznaczenie.

Dzięki miejscu w komitecie dobroczynności wiedząc o potrzebach i prowadzeniu się wielu podopiecznych, mógł być pewien, że właściwie kieruje swe dary. Jakoż porcje wcale jeszcze godne uwagi zaspokajały od czasu do czasu potrzeby i rodziły radość: na przykład ogon tłustego szczupaka, garnirowana głowa indyka, kawałek polędwicy, ciasta etc.

Aby jednak te dary niosły większy jeszcze pożytek, zapowiadał je na poniedziałek rano albo na dzień poświąteczny, w ten sposób zapobiegając przerwaniu pracy w dni wolne, walcząc z ujemnymi stronami ś w i ę t e g o   p o n i e d z i a ł k u[20] i smakoszostwem pokonując opilstwo.

Jeśli pan de Borose natrafił w trzeciej albo czwartej kategorii kupców na młode i dobre małżeństwo, którego rozumne zachowanie się zapowiadało zalety, na jakich wspiera się szczęśliwość narodów, składał im grzeczną wizytę i miał sobie za obowiązek zaprosić ich na obiad.

W oznaczonym dniu młoda kobieta spotykała damy, które pouczały ją, jak należy dbać o dom, mąż zaś panów, z którymi mógł porozmawiać o handlu i rzemiośle.

---

[20] Większość robotników paryskich pracuje w niedzielę rano, żeby skończyć zaczętą robotę, oddać ją, komu należy, i otrzymać zapłatę; za czym zabawiają się przez resztę dnia.

W poniedziałek rano robotnicy zbierają się grupami, składają razem resztę pieniędzy i nie rozchodzą się tak długo, aż wszystko zostanie wydane (Przyp. aut.).

Te zaproszenia, których powód był znany, stały się przywilejem i każdy pragnął sobie nań zasłużyć.

Podczas gdy rzeczy szły taką koleją, młoda Herminia rosła i rozwijała się pod opieką pani Migneron; winniśmy teraz czytelnikom jej portret, bez tej panienki bowiem biografia jej ojca byłaby niepełna.

Panna Herminia de Borose jest osobą wysoką (5 stóp i 1 cal) i łączy w sobie lekkość nimfy z gracją bogini.

Ponieważ jest jedynym owocem szczęśliwego małżeństwa, cieszy się doskonałym zdrowiem i fizyczną siłą; nie obawia się ani upału, ani wiatru i nie przerazi jej najdłuższa przechadzka.

Z pewnej odległości zdawać się może, że jest brunetką, ale z bliska łatwo zauważyć, że ma włosy ciemnobrązowe, rzęsy czarne i błękitne oczy.

Rysy ma greckie, ale nos galijski; ten czarujący nosek robi wrażenie tak wdzięczne, że komitet artystów po debatach trwających przez trzy obiady orzekł, iż typ tak doskonale francuski zasługuje co najmniej w takim samym stopniu jak każdy inny, aby uwiecznił go pędzel, dłuto i rylec.

Stopę panna Herminia ma małą i kształtną; ponieważ profesor wielekroć wypowiadał się na ten temat nader pochlebnie, ofiarowała mu na Nowy Rok 1825, za zgodą ojca, malutki śliczny pantofelek z czarnego atłasu, który on pokazuje wybranym, by dowieść, że wielkie zalety towarzyskie kształtują tak formy, jak osoby; profesor utrzymuje bowiem, że mała nóżka, tak bardzo dziś ceniona, rezultat pielęgnacji i kultury, nie trafia się niemal nigdy u chłopstwa, a niemal zawsze u osób, których przodkowie żyli w dostatku.

Kiedy Herminia zepnie grzebieniem las swoich włosów i paskiem ze wstążek przyozdobi prostą tunikę, jest tak czarująca, że niepodobna sobie wyobrazić, aby kwiaty, perły czy diamenty mogły cokolwiek przydać jej urodzie.

Mówi w sposób prosty, z łatwością, i można być pewnym, że zna naszych najlepszych autorów; ale w sposobnej chwali ożywia się i subtelność uwagi zdradza jej sekret: ledwie zda sobie z tego sprawę, płoni się, spuszcza oczy i ten rumieniec dowodzi jej skromności.

Panna de Borose gra równie dobrze na fortepianie, jak na harfie; ale woli harfę z jakiegoś entuzjazmu dla harf niebieskich, w które uzbrojone są anioły, i dla harf złotych, tak sławionych przez Osjana.

Jej głos także ma w sobie słodycz i szlachetność niebiańską, choć trochę jest nieśmiała; mimo to śpiewa, nie dając się prosić, na początku ogarniając audytorium spojrzeniem czarodziejskim: mogłaby śpiewać fałszywie, jak tyle innych, a nikt by tego nie dostrzegł.

Nie zaniedbuje robót ręcznych, które są źródłem niewinnych przyjemności i gotowym sposobem na nudę; pracuje jak wróżka i ilekroć w tej dziedzinie pojawia się coś nowego, spieszy pierwsza oznajmić o tym ojcu.

Serce Herminii jeszcze nie przemówiło, szczęście znajduje w miłości do ojca i to jej wystarcza; wielbi jednak taniec, który jest jej prawdziwą pasją.

Kiedy staje do kontredansa, pomyślałbyś, że przybyło jej dwa cale i że wzięci w powietrze; ale tańczy z umiarem i w sposób bezpretensjonalny; porusza się lekko, foremna i czarująca; od czasu do czasu można przecie odgadnąć, jakie kryją się w niej moce i gdyby użyła wszystkich środków, którymi rozporządza, pani Montessu miałaby rywalkę.

Ptak, nawet kiedy stąpa, widać, że skrzydlaty.

Pan de Borose, mając tę czarującą panienkę przy sobie, odkąd opuściła pensję, korzystając z fortuny, którą mądrze zarządzał, i ciesząc się zasłużonym szacunkiem, żył szczęśliwie, przekonany że wiele jeszcze czasu do niego należy; ale każda nadzieja jest złudna, a przyszłość niewiadoma.

W połowie marca tego roku pan de Borose został zaproszony na wieś, gdzie miał spędzić dzień z kilku przyjaciółmi.

Był jeden z tych przedwcześnie ciepłych dni, pierwszych zwiastunów wiosny; ze skraju horyzontu dobiegały głuche pomruki, które wedle przysłowia zapowiadają kres zimy; wybrano się jednak na przechadzkę. Wkrótce niebo zaczęło wyglądać groźnie, zebrały się chmury i rozpętała się straszna burza z piorunami, deszczem i gradem.

Każdy ratował się, jak mógł; pan de Borose znalazł schronienie pod topolą, której niższe gałęzie rozpięte na kształt parasola zdawały się dobrą osłoną.

Złowieszcze schronienie! Wierzchołek drzewa z chmur samych przejął elektryczny fluid, deszcz zaś spływający po gałęziach stał się jego przewodnikiem. Wkrótce nastąpiła straszna detonacja i nieszczęśnik, porażony śmiertelnie, upadł, nie mając czasu, by wydać westchnienie.

Poniósłszy śmierć, jakiej pragnął Cezar, a co do której on sam nie mógł się wypowiedzieć, został pochowany w sposób najbardziej uroczysty. Tłum ludzi, pieszo i w pojazdach, towarzyszył trumnie na cmentarz Pere-Lachaise, chwałę zmarłego głosiły wszystkie usta; i kiedy nad grobem przemówił jeden z przyjaciół, wzruszające słowa znalazły echo w sercach wszystkich obecnych.

Herminia była złamana nieszczęściem tak wielkim i niespodziewanym; nie miała konwulsji ani ataku nerwowego, nie kryła swej rozpaczy w samotnej sypialni; opłakiwała jednak ojca z takim zapamiętaniem, tak bezustannie i gorzko, że przyjaciele mieli nadzieję, iż nadmiar cierpienia stanie się na nie lekarstwem, albowiem nie mamy tyle hartu, aby długo doznawać tak żywego uczucia.

Czas więc, zawsze niezawodny, uczynił z tym młodym sercem, co zawsze czyni; Herminia może mówić o swym ojcu, nie tonąc we łzach; ale mówi o nim ze słodką pobożnością, z żalem tak szczerym, z miłością tak stałą i przejęciem tak głębokim, że niepodobna słuchać, nie dzieląc jej wzruszenia.

Szczęśliwy ten, komu Herminia da prawo, aby wraz z nią złożył wieniec żałobny na grobie ich ojca!

W kaplicy bocznej kościoła co niedziela, na mszy w południe, można zobaczyć wysoką i piękną dziewczynę w towarzystwie damy w podeszłym wieku. Figurę ma prześliczną, ale gęsty welon przesłania jej twarz. Rysy tej twarzy muszą być jednak znane, w pobliżu kaplicy można bowiem zobaczyć wielu świeżo upieczonych pobożnisiów, ubranych z wielką elegancją; nie brak wśród nich kilku pięknych chłopców.

Rozmaitości

Wszyscy wiedzą, że pani R. przez dwadzieścia lat zajmowała tron najpiękniejszej kobiety Paryża. Wiadomo również, że jest to osoba niezwykle miłosierna i że był czas, kiedy interesowała się większością przedsięwzięć mających na celu przyjść z pomocą biedzie, niekiedy bardziej dojmującej w stolicy niż gdzie indziej.

Mając do pomówienia w tych sprawach z proboszczem..., udała się do niego o piątej po południu i bardzo była zdumiona, zastając go przy stole.

Przemiła mieszkanka ulicy Mont-Blanc była pewna, że wszyscy w Paryżu jadają obiad o szóstej; nie wiedziała, że duchowni zaczynają na ogół wcześniej, wielu z nich bowiem zasiada wieczorem do lekkiej kolacji.

Pani R. chciała odejść, ale proboszcz ją zatrzymał, czy to dlatego że sprawa, o której mieli mówić, nie była z tych, co przeszkadzają w jedzeniu, czy dlatego że ładna kobieta nie może zepsuć żadnej przyjemności, czy wreszcie dlatego że spostrzegł, iż brak mu tylko rozmówcy, aby pokój, gdzie jadał, stał się prawdziwym Elizeum gastronomicznym.

Bo też stół nakryto z nadzwyczajną dbałością; stare wino lśniło w kryształowej karafce; porcelana była pierwszej jakości; temperaturę potraw utrzymywała wrząca woda; służąca zaś, kanoniczna i dobrze ubrana zarazem, stała czekając na rozkazy.

Posiłek graniczył z jednej strony z prostotą, z drugiej z wyszukaniem. Właśnie zabrano zupę rakową i na stole znajdował się łososiowaty pstrąg, omlet i sałata.

– Mój obiad powie pani o czymś, czego może nie wiesz – rzekł proboszcz z uśmiechem. – Dziś mamy dzień postny wedle praw Kościoła.

Nasza przyjaciółka skłoniła głowę na znak zgody; ale pamiętniki sekretne zapewniają, że zarumieniła się lekko, co nie przeszkodziło księdzu w jedzeniu.

Zaczął od pstrąga, którego górną część właśnie spożywał; sos zdradzał, że jest dziełem wprawnej ręki, i na twarzy duszpasterza pojawił się wyraz wewnętrznego zadowolenia.

Po tym daniu zabrał się do omletu, który był krągły, brzuchaty i usmażony w sam raz.

Ledwo ugodził weń łyżką, gdy z wnętrza wydobył się zgęszczony sok, rozkoszny dla oka i powonienia razem; zdawało się, że omlet jest go pełen, i kochanej Julii ślinka napłynęła do ust.

Ten miły znak nie uszedł uwagi proboszcza, nawykłego do postrzegania namiętności ludzkich, i choć miał minę, jakby chciał odpowiedzieć na postawione przez panią R. pytanie, zgoła tego nie zrobił.

– Jest to omlet z tuńczykiem – powiedział. – Moja kucharka robi go doskonale i rzadko się zdarza, by ktoś, kto go skosztuje, nie wyraził swego podziwu.

– Wcale mnie to nie zdumiewa – odparła mieszkanka Chaussée-d'Antin – nigdy nie zdarzyło mi się widzieć w wielkim świecie omletu tak apetycznego.

Przyszła kolej na sałatę. (Polecam ją wszystkim, którzy mają do mnie zaufanie; sałata odświeża nie osłabiając i krzepi nie drażniąc; mam w zwyczaju mówić, że sałata odmładza).

Obiad nie przerwał konwersacji. Rozmawiano o sprawie, która spowodowała wizytę, o szalejącej wówczas wojnie, o kwestiach aktualnych, o nadziejach Kościoła oraz na inne tematy, jakie porusza się zazwyczaj przy stole; dzięki nim uchodzi kiepski obiad i zyskuje dobry.

Przyszła pora na deser, który składał się z sera z Septmoncel, trzech jabłek z gatunku kalwila oraz konfitur.

Na koniec służąca przysunęła mały okrągły stolik, zwany ongi *guéridon*, na którym postawiła filiżankę przejrzystej i gorącej kawy; jej zapach wypełnił pokój.

Wypiwszy ją małymi łykami (*to sip*), proboszcz zmówił modlitwę dziękczynną i dodał wstając:

– Nie piję nigdy mocnych likierów; to zbytek, mam zawsze likier dla gości, ale sam nie biorę go do ust. W ten sposób rezerwuję sobie pomoc na późną starość, jeśli Bóg pozwoli mi jej dożyć.

Czas tymczasem mijał, była już szósta; pani R. pospieszyła do swego powozu, miała bowiem kilku przyjaciół na obiedzie, mnie w tej liczbie. Zjawiła się późno, zgodnie ze swoim zwyczajem, ale przecież się zjawiła, bardzo poruszona tym, co widziała u proboszcza.

Podczas obiadu była mowa tylko o jego menu, a przede wszystkim o omlecie z tuńczykiem.

Pani R. dokładnie opisała jego wygląd, rozmiary, krągłość, a ponieważ wszystkie dane były niewątpliwe, orzeczono, że musiał być doskonały. Było to prawdziwe równanie smakowe, które każdy rozwiązał na swój sposób.

Gdy ten temat został wyczerpany, przeszliśmy do innych, nie myśląc o nim więcej. Ale ja, propagator prawd użytecznych, uznałem, że powinienem wydobyć na światło dzienne sposób przyrządzania omletu, który uważam za równie zdrowy, jak smaczny. Zleciłem zatem memu kucharzowi, aby postarał się o przepis najdokładniejszy w szczegółach, i podaję go tym chętniej amatorom, że nie znajdą go w książkach kucharskich.

Przepis na omlet z tuńczykiem

Weź dla sześciu osób dwa mlecze karpia dobrze umyte i sparz je wrzucając na pięć minut do wrzącej i lekko osolonej wody.

Przygotuj kawałek świeżego tuńczyka wielkości kurzego jaja, do którego dodasz szalotkę, wpierw najdrobniej pokrojoną.

Posiekaj razem mlecze i tuńczyka, tak aby złączyły się dobrze, i włóż do garnka z kawałkiem bardzo świeżego masła, niech smażą się, dopóki masło się nie stopi. W tym maśle specjalność omletu.

Weź jeszcze kawałek masła wedle uznania, złącz masło z pietruszką i szczypiorkiem, połóż na półmisku w kształcie ryby przeznaczonym na omlet; skrop cytryną i postaw półmisek na gorącym popiele.

Ubij następnie dwanaście jaj (najświeższe są najlepsze), wrzuć do nich usmażone mlecze i tuńczyka i dobrze razem wymieszaj, abyś otrzymał gładką masę.

Przyrządź teraz omlet zwyczajnym sposobem, starając się, żeby był podłużny, gruby i pulchny. Ułóż omlet zgrabnie na przygotowanym półmisku i podaj natychmiast na stół.

Jest to danie stosowne na delikatne śniadanie, dla amatorów, którzy znają wartość rzeczy i umieją jeść w skupieniu; smakuje wybornie, zwłaszcza jeśli popijać je dobrym starym winem.

1. Mlecze i tuńczyk winny być lekko przesmażone: inaczej stwardnieją i nie złączą się dobrze z jajami.

2. Półmisek winien być wgłębiony, aby sos mógł ściekać i można go było nabierać łyżką.

3. Półmisek winien być lekko ogrzany; inaczej porcelana wyciągnie z omletu całe ciepło i nie roztopi się masło, na którym został położony.

Pewnego razu podróżowałem z dwiema paniami, które odwoziłem do Melun.

Nie wyjechaliśmy dość wcześnie, by zdążyć na obiad, i w Montageron nasz apetyt zdawał się wszystkiemu grozić zagładą.

Próżne groźby; w oberży, gdzie stanęliśmy, choć dość przyzwoitej z wyglądu, nie było żadnych zasobów: przejechały tędy trzy dyliżanse i dwie poczty i niby szarańcza egipska pożarły, co tylko było.

Tak mówił oberżysta.

Zauważyłem jednak obracający się rożen z wcale zacnym udźcem baranim, na który moje panie

– z przyzwyczajenia – rzucały spojrzenia pełne kokieterii.

Na próżno, niestety! Udziec należał do trzech Anglików, którzy go przynieśli i czekali cierpliwie, aż będzie gotów, popijając szampana (*prating over a bottle of champain*).

– Może jednak – powiedziałem do oberżysty z miną zrozpaczoną i błagalną – mógłbyś nam pan zrobić jajecznicę na soku z tego udźca? Jajecznica i kawa ze śmietanką, poprzestaniemy na tym.

– Bardzo chętnie – odparł – wedle prawa sok do nas należy, już biorę się do roboty.

Za czym zaczął ostrożnie rozbijać jaja.

Widząc, że jest zajęty, podszedłem do ognia i podróżnym nożem, który miałem w kieszeni, zrobiłem w mięsie dwanaście głębokich nacięć, przez które sok miał uciec do ostatniej kropelki.

Z lęku, aby oberżysta przez roztargnienie nie popełnił żadnego błędu na naszą niekorzyść, nie opuściłem go ani na chwilę podczas przyrządzania potrawy. Gdy była gotowa, wziąłem półmisek i zaniosłem do naszego apartamentu.

Tam zabraliśmy się do jedzenia, zanosząc się od śmiechu na myśl o tym, że przypadła nam w udziale sama substancja pięknego udźca, gdy nasi przyjaciele Anglicy musieli przeżuwać jego resztki.

Zwycięstwo narodowe

Podczas mego pobytu w Nowym Jorku spędzałem czasem wieczory w półkawiarni, półszynku, który prowadził niejaki Little; rano można tam było dostać zupę żółwiową, wieczorem zaś napoje, których picie jest w zwyczaju w Stanach Zjednoczonych.

Zabierałem często ze sobą wicehrabiego de la Massue i Jean-Rodolphe'a Fehra, dawniej pośrednika handlowego w Marsylii; obaj byli emigrantami tak samo jak ja; raczyłem ich tak zwanym

welchrabbit[21], który zakrapialiśmy *ale* lub jabłeczni-
kiem, i wieczór mijał nam spokojnie na rozmowach
o naszych biedach, przyjemnościach i nadziejach.

Tam poznałem pana Wilkinsona, plantatora
z Jamajki, oraz jegomościa, który musiał być jego
przyjacielem, bo nie rozstawali się nigdy. Ten ostatni, nieznany mi z nazwiska, był jednym z najoso-
bliwszych ludzi, z jakimi zetknąłem się w życiu:
twarz miał kwadratową, oczy bystre, zdawał się
wszystkiemu przyglądać bacznie; ale nie mówił nigdy, rysy zaś miał zastygłe jak ślepiec. Tylko gdy słyszał dykteryjkę czy żart, twarz jego nabierała życia,
zamykał oczy i otwierając usta szerokie jak otwór
trąby, wydawał długi dźwięk podobny do śmiechu

---

[21] Anglicy mówią dowcipnie *welch rabbit* (królik galijski)
na kromkę pieczonego chleba z serem. Taka grzanka na
pewno nie jest tak pożywna jak królik, ale zachęca do
picia, podnosi smak wina i nadaje się na deser w małym
gronie (Przyp. aut.).

i rżenia razem, zwany przez Anglików *horse laugh*, za czym wszystko wracało do porządku, a on do swego milczenia: było to niby błyskawica przeszywająca chmury. Co do pana Wilkinsona, który wyglądał na jakie pięćdziesiąt lat, to jego maniery i wzięcie zdradzały człowieka z towarzystwa (*of a gentleman*).

Ci dwaj Anglicy znajdowali upodobanie w naszej kompanii i kilka już razy brali udział w skromnych kolacjach, na które zapraszałem moich przyjaciół, kiedy pewnego wieczora Wilkinson wziął mnie na stronę, oświadczając, że pragnąłby nas podjąć obiadem.

Podziękowałem; i uważając, że wolno mi decydować o sprawie, w której grałem rolę główną, przyjąłem zaproszenie w imieniu wszystkich trzech. Obiad został wyznaczony na godzinę trzecią nazajutrz.

Wieczór minął jak zwykle; ale kiedy zbierałem się do wyjścia, kelner (*waiter*) zwierzył mi, że panowie z Jamajki zamówili dobry obiad; że polecili, aby napoje dobrano starannie, uważali bowiem swoje zaproszenie za rodzaj wyzwania: podczas obiadu miało się okazać, kto w piciu mocniejszy. Wreszcie ów przyjaciel o wielkich ustach wyraził nadzieję, że Francuzi za jego sprawą znajdą się pod stołem.

Ta nowina kazałaby mi odrzucić zaproszenie, gdybym mógł wycofać się z honorem, zawsze bowiem unikałem rozrywek tego rodzaju; ale nic było sposobu. Anglicy rozgłosiliby wokół, że nie odważyliśmy się stawić im czoła, że sama ich obecność zmusiła nas do rejterady; i choć w pełni świadomi niebezpieczeństwa, poszliśmy za maksymą marszałka Saskiego: wino jest odkorkowane, trzeba się sposobić do jego wypicia.

Czułem pewien niepokój, ale doprawdy, nie ja sam byłem jego przedmiotem.

Uważałem za rzecz pewną, że skoro jestem młody, roślejszy i silniejszy od naszych gospodarzy, mój organizm nienaruszony wybrykami pijackimi odniesie łatwe zwycięstwo nad Anglikami, którzy prawdopodobnie są słabsi wskutek nadużycia napojów wyskokowych.

Sam na polu, jedyny spośród pięciu, bez wątpienia zostałbym obwołany zwycięzcą; ale to moje zwycięstwo umniejszyłaby znacznie klęska rodaków, których wyniesiono by wraz z pokonanymi w odrażającym stanie – następstwie takich porażek. Pragnąłem oszczędzić im tej hańby; słowem, chciałem triumfu narodu, nie zaś jednostki. Poprosiłem więc do siebie Fehra i de la Massue i wygłosiłem do nich mowę surową, i formalną, dzieląc się z nimi moimi obawami; zaleciłem im, żeby pili małymi łykami, ilekroć to będzie możliwe, żeby nie pili, gdy ja odwrócę uwagę przeciwników; nade wszystko zaś, by jedli z umiarem, zachowując apetyt na cały wieczór, albowiem potrawy złączone z napojami miarkują ich działanie, tak że nie uderzają one do głowy z taką gwałtownością; za czym zjedliśmy talerz gorzkich migdałów, ponieważ słyszałem, że są one antidotum na wino.

Uzbrojeni w ten sposób fizycznie i moralnie, udaliśmy się do Little'a, gdzie zastaliśmy już Anglików. Wkrótce podano obiad, który składał się z ogromnego rostbefu, indyka we własnym sosie, gotowanych korzeni, sałaty z surowej kapusty i tortu z konfiturami.

Piliśmy na sposób francuski, to znaczy wino podawano od samego początku; było to wcale dobre lekkie wino czerwone, znacznie tu tańsze niż we Francji; przywieziono go sporo i ostatnie ładunki zalegały składy.

Pan Wilkinson był bez zarzutu w roli gospodarza, zachęcał nas do jedzenia, sam świecąc przykładem; jego przyjaciel pochylony nad talerzem nie mówił słowa, spoglądał w bok i śmiał się kącikiem ust.

Co do moich dwóch akolitów, to sprawiali się oni nad podziw. Massue, choć obdarzony wcale tęgim apetytem, jadł jak wykwintnisia; Fehr zaś od czasu do czasu zręcznie wylewał swoje wino do garnca na piwo, który stał na skraju stołu. Ja sam dzielnie stawiałem opór dwóm Anglikom i czym dalej posuwał się obiad, tym większa była moja ufność w zwycięstwo.

Po lekkim winie przyszło porto, po nim madera, przy której pozostaliśmy długo.

Podano deser składający się z masła, sera, orzechów kokosowych i orzechów *ycory*. Zaczęły się toasty; piliśmy tęgo za rządy królów, wolność ludów i piękne panie; z panem Wilkinsonem wznieśliśmy zdrowie jego córki Mariah, która, jak zapewniał, była najpiękniejszą osobą na Jamajce.

Po winie zjawiły się *spirits*, to znaczy rum, wódki robione z wina, z ziarna i malin; wraz z nimi – piosenki; zaczynało się robić gorąco. Bałem się tych trunków; chcąc ich uniknąć, poprosiłem o poncz. Sam Little wniósł *bowl*, na pewno przygotowany wcześniej, który wystarczyłby dla czterdziestu osób. Nie mamy we Francji naczyń tych rozmiarów.

Widok ten przywrócił mi odwagę; zjadłem pięć czy sześć grzanek z najświeższym masłem i poczułem, że wracają mi siły. Powiodłem wokół badawczym spojrzeniem: doprawdy można było się obawiać, jak to wszystko się skończy. Moi dwaj przyjaciele wydawali się dość rześcy; pili, przegryzając orzechami. Pan Wilkinson miał twarz szkarłatną, jego przyjaciel milczał, ale głowa dymiła mu jak kocioł z wrzątkiem, a ogromne usta przybrały kształt kurzego kupra. Było oczywiste, że katastrofa nadciąga.

W rzeczy samej pan Wilkinson jakby nagle zbudzony ze snu wstał i mocnym jeszcze głosem zaintonował hymn narodowy *Rule Britannia*; ale żadną miarą nie mógł iść dalej; siły opuściły go; opadł na krzesło, skąd stoczył się pod stół. Przyjaciel, widząc go w tym stanie, zarechotał hałaśliwie i pochyliwszy się, żeby mu przyjść z pomocą, runął obok niego.

Niepodobna wyrazić, jak byłem rad z tego nagłego rozwiązania i jak wielką przyniosło mi ono ulgę. Zadzwoniłem natychmiast; wszedł Little. Po sakramentalnym: „Zechciej pan zadbać, żeby ci *gentlemen* zostali otoczeni należytą opieką", wychyliliśmy ostatnią szklankę ponczu za ich zdrowie. Zjawił się *waiter*, mając kilku ze służby do pomocy; wynieśli zwyciężonych, nogami do przodu, zgodnie z regułą *the feet foremost*[22] i odstawili ich do domu; przyjaciel trwał w absolutnej nieruchomości, pan Wilkinson nadal zaś próbował śpiewać *Rule Britannia*.

---

[22] W angielskim używa się tego określenia, mówiąc o martwych albo pijanych (Przyp. aut.).

Nazajutrz gazety nowojorskie, a za nimi wszystkie w kraju, opisały dość dokładnie, co zaszło; a ponieważ nie zabrakło też wzmianki, że w rezultacie tej przygody Anglicy są chorzy, wybrałem się do nich z wizytą. Przyjaciela zastałem w stanie całkowitego odrętwienia, które było skutkiem ciężkiej niestrawności, pana Wilkinsona zaś przykuł do krzesła atak podagry, spowodowany bez wątpienia naszym bachicznym bojem. Moja wizyta wydała mu się miłym dowodem uwagi i powiedział między innymi: *„Oh, dear sir, you are very good company indeed, but too a drinker for us"*[23].

Pułapka

Kawaler de Langeac miał wcale piękną fortunę, którą utracił wskutek pokus zawsze czekających w pobliżu, gdy człowiek jest bogaty, młody i urodziwy.

Dzięki jej resztkom i małej pensji, którą otrzymał od rządu, mógł pędzić w Lyonie przyjemne życie, bywając w najlepszym towarzystwie, doświadczenie bowiem nauczyło go umiaru i rozsądku.

Choć wciąż galant, poniechał służb u dam; bawiły go jeszcze ich gry, w których był nie mniej biegły; co się jednak tyczy pieniędzy, to miał się na baczności, zachowując w tym względzie przytomność umysłu cechującą tych, którzy wyrzekli się łask kobiecych.

Gdy inne skłonności osłabły, smakoszostwo wzięło górę; można powiedzieć, że stało się jego profesją; a ponieważ był bardzo miłym człowiekiem, otrzymywał tyle zaproszeń, że nie mógł im sprostać.

Lyon jest miastem, gdzie się dobrze jada; z racji swojego położenia obfituje zarówno w wina z Bordeaux i Ermitage'u, jak w burgundy; zwierzy-

---

[23] Drogi panie, doprawdy świetny z pana kompan, ale pija pan za tęgo jak dla nas (Przyp. aut.).

na z pobliskich stoków jest wyborna; w jeziorach Genewskim i Bourget łowi się najlepsze w świecie ryby, znawcy zaś omdlewają na widok pulard z Bresse, których składnicą jest to miasto.

Kawaler de Langeac miał więc swoje stałe miejsce przy najlepszych liońskich stołach; ale szczególnie sobie cenił stół pana A., bogatego bankiera i wielkiego smakosza. Kawaler tłumaczył to pierwszeństwo znajomością sięgającą jeszcze czasów szkolnych; złośliwi (których nigdzie nie brak) twierdzili jednak, że przyczyną tych szczególnych względów jest kucharz pana A., najlepszy z uczniów Ramiera, znakomitego restauratora owych odległych czasów.

Tak czy inaczej, zimą 1780 r. kawaler de Langeac otrzymał bilecik, w którym pan A. zapraszał go na kolację za dziesięć dni (wówczas jadano jeszcze kolacje); moje sekretne pamiętniki zapewniają, że kawaler zadrżał ze szczęścia na myśl o tym, jak solenne zebranie i wyborną ucztę zapowiada zaproszenie na tak odległy termin.

W wyznaczonym dniu stawił się punktualnie i zastał innych gości w liczbie dziesięciu; wszyscy byli przyjaciółmi radości i dobrego jadła; greckie słowo *gastronom* nie było wówczas znane czy też nie było jeszcze w użyciu.

Wkrótce zasiedli do obfitego posiłku. Między innymi podano ogromny kawał wołowiny we własnym sosie, potrawkę z kurcząt z garniturem, zraziki cielęce, które usposabiały najżyczliwiej, i pięknego faszerowanego karpia.

Wszystko to było doskonałe, ale w mniemaniu kawalera nie spełniało nadziei, jakie pokładał w zaproszeniu.

Inna jeszcze rzecz go zdumiała: biesiadnicy, wszyscy odznaczający się tęgim apetytem, nie jedli wcale albo jedli półgębkiem; jeden miał migrenę;

drugi dreszcze; trzeci późno jadł obiad i tak dalej. Kawaler nie mógł się nadziwić przypadkowi, który sprawił, że goście tak byli fatalnie usposobieni, i sądząc, że spada na niego obowiązek reprezentowania tych inwalidów, atakował śmiało, kroił z precyzją i nie szczędził sił w żadnym względzie.

Potrawy podane na drugie niemniej były treściwe. Na stole zjawił się wielki indyk z Crémieux, któremu stawiał czoło piękny szczupak na niebiesko, wokół zaś rozmieszczono półmiski z sześciu dopełniającymi daniami, nie licząc sałaty; wśród nich poczesne miejsce zajmował makaron z parmezanem.

Na ten widok kawaler poczuł, że odżywają w nim zamierające siły, podczas gdy inni wyglądali tak, jakby mieli wydać ostatnie tchnienie. Pokrzepiony zmianą win, odnosił triumfy nad bezsilnością towarzyszy i zajadając piękną porcję szczupaka, do którego zabrał się, ledwie uporał się z nogą indyka, wielokrotnie pił ich zdrowie pełnymi szklankami.

Przyszły leguminy, przy których zachował się z nie mniejszym honorem, licząc, że na deser zje tylko kawałek sera z kieliszkiem malagi: słodycze nigdy nic wchodziły u niego w rachubę.

Jak wiemy, dwukrotnie już zaznał zdumienia: po raz pierwszy, gdy stwierdził, że potrawy są nazbyt treściwe; po raz drugi, kiedy zobaczył, że biesiadnicy są niedysponowani; czekało go jeszcze trzecie, całkiem innego autoramentu.

Zamiast bowiem podać deser, służba usunęła ze stołu wszystko wraz z nakryciami i serwetami i położywszy świeże, wniosła cztery nowe dania, których zapach ulatał do samych niebios.

Był to forszlak cielęcy w kremie z raków, mlecz z truflami, szczupak szpikowany i faszerowany oraz skrzydła czerwonych kuropatw z pureé pieczarkowym.

Podobny do starego czarownika, o którym mówił Ariosto, co mając w swej władzy piękną Armidę, czynił tylko próżne wysiłki, aby ją zbezcześcić, kawaler doznawał najgłębszych upokorzeń na widok tylu dobrych rzeczy dla niego niedostępnych i zaczął podejrzewać, że jakaś w tym musi być złośliwa intencja.

Tymczasem inni biesiadnicy nagle odżyli: wrócił apetyt, znikły migreny i ironiczny grymas zjawił się na wszystkich ustach; teraz oni z kolei pili zdrowie kawalera, którego moc się skończyła.

Mimo to nadrabiał miną i zdawało się, że chce stawić czoło nawałnicy; ale przy trzecim kęsie natura odmówiła mu pomocy, a żołądek posłuszeństwa. Skazany tedy na bezczynność, liczył pauzy, jak się to powiada w muzyce.

Kto opisze jego uczucia, kiedy ujrzał z kolei, jak na stole zjawiają się tuzinami małe bekasy, białe od tłuszczu i jak należy ułożone na grzankach; bażant, wielka wówczas rzadkość, przywieziony znad brzegów Sekwany; świeży tuńczyk oraz inne najwykwintniejsze dania kuchni nowoczesnej!

Pierwszą jego myślą było pozostać, walczyć i mężnie polec na polu bitwy: był to krzyk honoru, dobrze czy źle rozumianego. Ale niebawem egoizm przyszedł mu z pomocą i przywiódł do postanowień bardziej umiarkowanych.

Uznał, że w podobnym wypadku ostrożność nie jest tchórzostwem; że śmierć z niestrawności jest śmieszna; że przyszłość bez wątpienia wynagrodzi go za ten zawód. Powziął tedy decyzję i odrzucając serwetkę, rzekł do bankiera:

– Panie, nie wystawia się przyjaciół na takie próby; to perfidia z pańskiej strony, nie zobaczę pana, póki mego życia.

Co powiedziawszy, wyszedł.

Odejście kawalera dla nikogo nie było wielkim zaskoczeniem; oznaczało sukces spisku mającego na celu postawienie go w takiej sytuacji, w której okazałby się bezsilny wobec dobrego jadła, wszyscy zaś byli dopuszczeni do sekretu.

Kawaler wszakże gniewał się dłużej, niż przypuszczano; trzeba było niejednej uprzejmości, aby go udobruchać; wreszcie powrócił, kiedy przyszła pora figojadków, nie czekając na porę trufli.

Turbot

Pewnego razu niezgoda próbowała się wkraść do jednego z najlepszych małżeństw. Działo się to w sobotę, dzień sabatu; przedmiotem sporu był turbot; rzecz rozgrywała się na wsi, a tą wsią była Villecrêne.

Ta ryba która zdawała się godna chwalebniejszych przeznaczeń, miała zostać podana nazajutrz kilku zacnym ludziom, do których i ja należałem; turbot był świeży, tłuściutki, rozkosznie lśniący; ale rozmiarów takich, że nie mieścił się w żadnym naczyniu, i nie wiedziano, jak go przyrządzić.

– Ha, trudno, podzielimy go na dwoje – powiedział mąż.

– Śmiałbyś tak pohańbić to biedne stworzenie? – powiedziała żona.

– Muszę, moja duszko, skoro niepodobna inaczej. Nuże, niech przyniosą tasak; zaraz będzie po wszystkim.

– Poczekajmy jeszcze, mój drogi; nic nas nie nagli; wiesz zresztą, że przyjeżdża kuzyn; to profesor, znajdzie na pewno jakiś sposób.

– Profesor... znajdzie sposób... Ba!

Wierne sprawozdanie zapewnia, że ten, co tak mówił, zdawał się nie pokładać wielkich nadziei w profesorze; a przecież tym profesorem byłem ja! *Schwernoth!*

Trudność rozwiązano by zapewne sposobem Aleksandra Wielkiego, gdym wszedł krokiem szybkim, węsząc jak wyżeł na polowaniu i dobrze głodny, jak to zwykle bywa, kiedy człowiek jest po podróży, o siódmej wieczór, a zapach dobrego obiadu łechce podniebienie i pobudza apetyt.

Wszedłszy, na próżno usiłowałem powiedzieć kilka stosownych przy powitaniu grzeczności; nikt mi nie odpowiedział, bo też nikt mnie nie słuchał. Wkrótce problem, który pochłaniał wszystkich, został mi przedstawiony w duecie, po czym oba głosy zgodnie umilkły. Spojrzenie kuzynki zdawało się mówić: „Spodziewam się, że damy sobie radę"; kuzyn natomiast miał minę kpiącą i szyderczą, jakby był pewien mojej klęski, prawicy zaś nie odejmował od złowieszczego tasaka, który przyniesiono na jego żądanie.

Te odmienne wyrazy znikły, ustępując miejsca żywej ciekawości, gdy głosem poważnym i wieszczym wyrzekłem te uroczyste słowa:

– Turbot pozostanie cały aż do chwili podania go na stół.

Z góry byłem pewien, że nie czeka mnie kompromitacja, umyśliłem bowiem upiec go w piecu; ale ponieważ ten sposób mógł nastręczać niejakie trudności, nie mówiłem nic jeszcze i w milczeniu skierowałem się w stronę kuchni. Szedłem na przedzie, otwierając procesję; za mną małżonkowie jako akolici i rodzina w roli wiernych; kucharka *in fiocchi* zamykała pochód.

W dwóch pierwszych pomieszczeniach nie dostrzegłem żadnego naczynia sprzyjającego moim zamiarom; ale w pralni zobaczyłem kocioł, nie duży wprawdzie, ale dobrze osadzony na palenisku; oceniłem natychmiast jego przydatność i zwracając się orszaku zawołałem z tą wiarą, która przenosi góry:

– Niech spokój wstąpi w wasze serca, turbot zostanie ugotowany cały; zostanie ugotowany na parze, zostanie ugotowany zaraz.

I rzeczywiście, choć była pora na obiad, wszyscy natychmiast zabrali się do dzieła. Podczas gdy rozpalano ogień, wyciąłem z koszyka na pięćdziesiąt butelek kawałek plecionki, dokładnie odpowiadający wielkością rozmiarom gigantycznej ryby. Na tej plecionce kazałem ułożyć warstwę cebulek i pachnącego ziela, na której spoczął turbot, wpierw starannie umyty, osuszony i odpowiednio posolony. Druga warstwa tych samych przypraw przykryła jego grzbiet. Plecionkę z rybą umieszczono na kotle do połowy wypełnionym wodą; wszystko zaś zostało, przykryte niewielką balią, posypaną warstwą suchego piasku, żeby para nie ulatniała się zbyt łatwo. Wkrótce woda zaczęła wrzeć; para wypełniła balię, którą usunięto po upływie pół godziny, za czym zdjęto plecionkę z turbotem doskonale ugotowanym, białym i wyglądającym nader zachęcająco.

Dokonawszy tego dzieła, pospieszyliśmy do stołu; spóźnienie, praca i sukces zaostrzyły nasze apetyty, tak że trzeba było dość długiego czasu, aby osiągnąć ów moment szczęśliwy, o którym mówi Homer, kiedy to obfitość i rozmaitość dań pokonały głód.

Nazajutrz turbot został podany szanownym gościom, budząc powszechny zachwyt. Wówczas pan domu opowiedział, w jaki szczególny sposób rybę ugotowano; chwalono mnie nie tylko za pomysł, ale też za rezultat; i po pełnej namysłu degustacji wszyscy orzekli jednogłośnie, że turbot tak przyrządzony jest nieporównanie lepszy niż z wody.

Ta decyzja nie zaskoczy nikogo, ponieważ turbot nie znalazłszy się we wrzątku, nic nie utracił ze swych jakości, na odwrót, zyskał tylko, nasycony aromatem przypraw.

Tymczasem ucho moje łowiło komplementy, oko zaś szukało znaków bardziej szczerych na twarzach biesiadników i zauważyłem z utajoną satysfakcją, że generał Labassée tak był kontent, że uśmiechał się przy każdym kęsie, proboszcz zaś, wyciągnąwszy szyję, spojrzenie wbił w sufit na znak ekstazy; co do dwóch akademików, ludzi równie dowcipnych, jak wielkich smakoszy, to pierwszy z nich, pan Auger, oczy miał błyszczące i promienną twarz oklaskiwanego autora, drugi, pan Villemain, schyliwszy głowę, podbródek zwrócił ku zachodowi jak ktoś, kto słucha z uwagą.

Wszystko to warto zapamiętać, mało bowiem jest domów na wsi, gdzie nie można by znaleźć przedmiotów niezbędnych do zaimprowizowania aparatury, jaką posłużyłem się w owej okazji; przyda się ona, ilekroć trzeba ugotować produkt wielkością przekraczający zwykłe rozmiary.

Dwa leki krzepiące wedle recepty profesora przypisane do rozdziału: „O wyczerpaniu"

A Weź sześć wielkich cebul, trzy marchwie, garść zielonej pietruszki, posiekaj i wrzuć do garnka, gdzie zrumienisz wszystko na dobrym, świeżym maśle.

Kiedy mieszanina będzie gotowa, dodaj sześć uncji lodowatego cukru, dwadzieścia ziarnek utłuczonej ambry, skórkę z grzanki oraz trzy butelki wody, którą gotuj przez trzy kwadranse, w miarę parowania dolewając wody, tak aby uzyskać trzy butelki płynu.

Podczas gdy te rzeczy się dzieją, zabij, oskub i wypatrosz starego koguta, którego wraz ze skórą i kośćmi utłuczesz w moździerzu żelaznym tłuczkiem; posiekaj ponadto dwa funty dobrze wybranej wołowiny.

Za czym zmieszaj obie siekaniny, do których dodaj odpowiednią ilość soli i pieprzu.

Włóż teraz masę do garnka i postaw na dużym ogniu, żeby się mocno rozgrzała, dodając od czasu dc czasu trochę świeżego masła, przez co unikniesz przypalenia.

Kiedy mięso się zrumieni, to znaczy, kiedy sok jego jest gotów, przecedź bulion, który masz w pierwszym garnku i skrapiaj nim z wolna zawartość drugiego. Następnie gotuj mieszaninę na mocnym ogniu przez trzy kwadranse, dodając ciepłej wody, aby ilość płynu była wciąż taka sama.

Po upływie tego czasu lek jest gotowy, jego działanie jest pewne w tych wszystkich wypadkach, kiedy chory, będąc wyczerpany, ma sprawnie funkcjonujący żołądek.

Lek stosuje się następująco: pierwszego dnia filiżanka co trzy godziny aż do nocnego odpoczynku; w dni następne duża filiżanka rano i wieczór, dopokąd trzy butelki się nie skończą. Chory powinien przestrzegać diety lekkiej, ale pożywnej: udko drobiu, kawałek ryby, słodkie owoce, konfitury; nie zdarza się niemal nigdy, żeby trzeba było lek powtórzyć.

Czwartego dnia pacjent może powrócić do swych zwykłych zajęć, a w przyszłości winien okazać więcej rozsądku, jeśli to możliwe.

Odjąwszy ambrę i cukier lodowaty, można tym sposobem zrobić zupę wybornego smaku, godną znawców.

Można zastąpić koguta czterema starymi kuropatwami, a wołowinę kawałkiem udźca baraniego; bulion nie będzie ani mniej skuteczny, ani gorszy w smaku.

Metoda siekania mięsa i rumienienia go, zanim zostanie dolany płyn, daje się zastosować w tych wszystkich wypadkach, kiedy chodzi o pośpiech.

Rzecz polega na tym, że mięso podsmażane rozgrzewa się znacznie szybciej niż w wodzie; można więc go użyć, ilekroć trzeba dobrej, tłustej zupy – co zdarza się często na wsi – a uniknie się czekania przez pięć czy sześć godzin. Ci, którzy posłużą się tą metodą, na pewno nie zapomną pochwalić profesora.

B Wszyscy wiedzą, że jeśli ambra w postaci perfum może szkodzić profanom o delikatnych nerwach, to przeznaczona do użytku wewnętrznego działa wzmacniająco i rozweselająco; zajmowała poczesne miejsce w kuchni naszych przodków i nie wynikały stąd żadne dla nich szkody.

Wiem, że marszałek Richelieu, sławnej pamięci, stale pogryzał pastylki z ambrą; co do mnie, to jeśli się zdarzy dzień, kiedy ciężar lat staje się szczególnie dojmujący, gdy myślenie przychodzi mi z trudem i przygniata jakaś niewiadoma siła, do wielkiej filiżanki czekolady dodaję ziarnko ambry wielkości bobu, utłuczone z cukrem, i zawsze pomaga mi to doskonale. Dzięki temu środkowi wzmacniającemu życie staje się łatwiejsze, myśl lżejsza i nie grozi mi bezsenność, nieunikniona po filiżance kawy na wodzie, którą wypiłbym w tej samej intencji.

C lek **A** przeznaczony jest dla temperamentów mocnych, dla ludzi stanowczych i w ogóle takich, którzy zaznają wyczerpania wskutek aktywności.

Okazja sprawiła, że skomponowałem inny, znacznie przyjemniejszy w smaku i łagodniejszy w działaniu; przeznaczam go dla temperamentów słabych, charakterów chwiejnych, słowem, dla ludzi, którym niewiele trzeba do utraty sił. Oto ów lek:

Weź gicz cielęcą wagi co najmniej dwu funtów, przetnij ją wzdłuż na czworo, mięso i kości zrumień z czterema cebulami pokrojonymi na talarki i garścią rzeżuchy wodnej; kiedy mięso jest prawie gotowe, skrop je trzema butelkami wody, którą będziesz gotować wpierw przez dwie godziny, dolewając świeżej wody w miarę parowania; otrzymasz dobry rosół cielęcy; posól go i popieprz umiarkowanie.

Każ utłuc codziennie trzy stare gołębie i dwadzieścia pięć żywych raków; połącz wszystko i zrumień w sposób wskazany w przepisie A, a kiedy zobaczysz, że mieszanina jest dobrze rozgrzana i zaczyna się przypiekać, dolej rosół cielęcy i wzmocnij ogień na godzinę. Tak wzbogacony bulion, wpierw go przecedziwszy, należy brać rano i wieczór lub raczej tylko rano, na dwie godziny przed śniadaniem. Jest on zarazem wyborną zupą.

Pomysł tego leku powstał, gdym chciał przyjść z pomocą parze literatów, którzy wiedząc, że mam się niezgorzej, nabrali do mnie zaufania i, jak powiadali, chcieli odwołać się do mojej wiedzy.

Oboje pili mój lek i nie mieli powodu do narzekań. Mąż, który był zwykłym poetą elegijnym, stał się romantykiem; żona, autorka romansu dość bladego i kończącego się katastrofą, napisała drugi, znacznie lepszy i uwieńczony pięknym małżeństwem. Jak widać, obojgu przybyło mocy myślę, że z czystym sumieniem mogę zapisać to na moje dobro.

Pularda z Bresse

W pierwszych dniach stycznia 1825 dwoje młodych małżonków, państwo de Versy, uczestniczyło w wielkim śniadaniu, gdzie miejsce honorowe, ale zgoła nie jedyne, zajmowały ostrygi.

Śniadania te są urocze, czy dlatego że składają się ze smakowitych dań, czy dlatego że zazwyczaj towarzyszy im wesołość, ale mają tę złą stronę, że psują porządek dnia. Tak też zdarzyło się wówczas. Gdy nadeszła pora obiadu, małżonkowie zasiedli do stołu; ale tylko *pro forma*. Pani zjadła odrobinę zupy, pan wypił szklankę wina z wodą; zjawiło się kilku przyjaciół, co dało okazję do partii wista, wieczór minął i para poszła do łóżka.

Około drugiej nad ranem pan de Versy się obudził; czuł się nieswojo, ziewał; wiercił się tak bardzo na łóżku, że zaniepokojona żona zapytała, czy nie czuje się chory. Na co mąż rzecze:

– Nie, moje złotko, ale zdaje mi się, żem głodny, i myślałem o tej pulardzie z Bresse podanej na obiad, takiej bielutkiej, takiej ślicziutkiej, która spotkała się z tak złym przyjęciem.

– Jeśli mam wyznać ci prawdę – powiada żona – wiedz, że czuję nie mniejszy apetyt; skoro zaś pomyślałeś o pulardzie, każmy ją przynieść i zjedzmy.

– Co za szaleństwo! Wszyscy śpią w domu, jutro nie będzie końca kpinom.

– Skoro wszyscy śpią, wszyscy się obudzą, a nie będzie okazji do kpin, bo nikt się nie dowie. Zresztą kto może zaręczyć, czy do jutra jedno z nas nie umrze z głodu? Nie myślę narażać się na tak wielkie niebezpieczeństwo. Zadzwonię na Justynę.

Powiedziane, zrobione: obudzono biedną pokojówkę, która po dobrej kolacji spała, jak śpi się mając dziewiętnaście lat, gdy nie zaznało się jeszcze niepokojów miłości.

Zjawiła się ledwo przyodziana, z okiem wybałuszonym, ziewając; za czym usiadła i zaczęła się przeciągać.

Ale Justyna to jeszcze było nic; należało obudzić kucharkę; a to już była cała sprawa. Kucharka była znakomita, a więc wielka zrzęda; gderała, rżała, chrząkała, porykiwała i sapała; wstała na koniec i ogromne jej ciało zaczęło się poruszać.

Tymczasem pani de Versy włożyła kaftanik, jej mąż ogarnął się jako tako, Justyna rozpostarła na łóżku obrus i przyniosła co niezbędne do tej zaimprowizowanej uczty.

231

Gdy wszystko było gotowe, zjawiła się pularda, która w mgnieniu oka została pokrojona na części i pożarta bez miłosierdzia.

Dokonawszy tego wspaniałego czynu, małżonkowie podzielili się wielką gruszką z gatunku Saint-Germain i zjedli trochę pomarańczowej konfitury.

W przerwach wypili do ostatniej kropli butelkę wina z Grave i powtarzali wielekroć, na rozmaite tony i sposoby, że przyjemniej nie jadło im się nigdy w życiu.

Uczta skończyła się jednak, jak wszystko na tym padole łez. Justyna zebrała nakrycia, usunęła dowody rzeczowe i położyła się spać, biesiadników zaś skryły firanki małżeńskiego łoża.

Nazajutrz rano pani de Versy pospieszyła do swojej przyjaciółki, pani de Franval, i opowiedziała jej o nocnym zajściu; niedyskrecji przyjaciółki zawdzięcza czytelnik tę historyjkę.

Pani de Franval nie zapominała nigdy dodać, że pani de Versy, kończąc opowiadanie, kaszlnęła dwukrotnie i zarumieniła się bardzo znacząco.

Bażant

Bażant jest zagadką, do której klucz mają tylko adepci; oni jedynie mogą się nim delektować w całej pełni.

Wszystkie substancje mają swoje apogeum smakowitości: jedne osiągają je, zanim rozwinęły się całkowicie, jak kapary, szparagi, szare kuropatwy, gołębie jadalne etc., inne u szczytu przeznaczonej im egzystencji, jak melony, większość owoców, baran, wół, sarna, czerwone kuropatwy; jeszcze inne, gdy zaczynają się rozkładać, jak niesplik, bekas, a zwłaszcza bażant.

Ten ptak zjedzony w trzy dni po zabiciu nie odznacza się niczym szczególnym. Ani nie jest tak delikatny jak pularda, ani tak wybornego zapachu jak przepiórka.

Spożyty wszakże w samą porę, mięso ma delikatne, doskonałe, w smaku podobne do drobiu i zwierzyny razem.

Ten upragniony moment nadchodzi, gdy bażant zaczyna się rozkładać; wówczas aromat łączy się z wychodzącą z ptaka tłustością, do czego niezbędna jest fermentacja, podobnie jak tłuczenie jest niezbędne, aby wydobyć oleistość z kawy.

Profani rozpoznają ów moment po lekkim odorze i zmianie barwy na brzuchu ptaka; ale wybrańcy odgadują go instynktem, który objawia się w wielu okazjach i sprawia na przykład, że umiejętny pasztetnik wie od pierwszego rzutu oka, czy należy zdjąć z rożna sztukę drobiu, czy pozwolić, by obróciła się jeszcze kilka razy.

Teraz dopiero należy go oskubać (nie wcześniej) i naszpikować starannie najświeższą i najbardziej jędrną słoniną.

Nie jest rzeczą obojętną, kiedy się ptaka oskubie; bogate doświadczenie poucza, że bażanty, które zachowują upierzenie, są bardziej aromatyczne od tych, co długo są trzymane bez piór, czy to dlatego że kontakt z powietrzem po trosze neutralizuje aromat, czy dlatego że część soku odżywiająca upierzenie zostaje wchłonięta i przydaje smakowitości mięsu.

Gdy ptak jest gotów, należy go suto wyposażyć, co czyni się w następujący sposób:

Weź dwa bekasy, oczyść z kości, wypatrosz i oddziel mięso od wnętrzności i wątróbek.

Z mięsa zrób nadzienie, siekając je z mózgiem wołowym ugotowanym na parze i trochą raszplowanej wołowiny; dodaj pieprzu, soli, ziół aromatycznych oraz taką ilość trufli, aby masy wystarczyło do napełnienia bażanta.

Nadziej go uważając, by nic nic przedostało się na zewnątrz, co bywa dość trudne, gdy ptak jest przejrzały. Można to jednak osiągnąć rozmaitymi sposobami, między innymi odkrawając skórkę chleba, którą przyczepia się nitką na kształt zatyczki.

Przygotuj płat bułki od każdej strony o dwa cale większy od położonego wzdłuż bażanta; weź wątróbki i wnętrzności bekasów, utrzyj je z dwiema wielkimi truflami, dodając jedną *anchois*, trochę raszplowanej słoniny i odpowiedni kawałek dobrego, świeżego masła.

Tę masę rozsmaruj równo na bułce; połóż ją pod bażanta przygotowanego jak wyżej, tak aby podczas pieczenia ściekł na nią cały sok ptaka.

Gdy bażant jest gotów, podaj ułożonego zgrabnie na grzance, obłóż wokoło gorzkimi pomarańczami i bądź spokojny o rezultat.

Do tego znakomitego dania najlepiej podawać wino w górnej Burgundii; odkryłem tę prawdę w wyniku licznych obserwacji, które kosztowały mnie więcej trudu, aniżeli go trzeba do zgłębienia tablic logarytmicznych. Tak przyrządzony bażant godzien byłby aniołów, gdyby podróżowały jeszcze po ziemi, jak w czasach Lota.

Lecz, co mówię! Sprawdziłem już jego działanie. Nadziewanego bażanta na grzance przyrządzał pod moim okiem czcigodny Picard, kucharz w zamku Grange, u mojej uroczej przyjaciółki, pani de Ville-Plaine; na stół wniósł go ochmistrz Ludwik, krocząc uroczyście niby na procesji. Obejrzano ptaka z niemniejszą uwagą jak kapeleusz pani Herbault; został spożyty w skupieniu; i podczas tego eksperymentu oczy pań błyszczały jak gwiazdy, usta miały lśnienie korali, a twarze zdradzały najwyższe uniesienie. (Por. *Sprawdziany gastronomiczne*).

Zrobiłem więcej: takiego samego bażanta podano komitetowi składającemu się z członków trybunału najwyższego; panowie ci wiedzą, że warto czasem zrzucić senatorską togę, ja zaś dowiodłem im z łatwością, że dobre jedzenie jest naturalną nagrodą za profesjonalne trudy. Po właściwym zbadaniu przedmiotu, który przedłożyłem ich ocenie, nestor zebrania orzekł z powagą, że jest doskonały; wszystkie głowy pochyliły się na znak zgody i wyrok zapadł jednogłośnie.

Podczas obrad zauważyłem, że nosy czcigodnych panów wciągały wyraźnie lube aromaty, że na ich dostojnych twarzach zakwitła pogoda, a na prawdomównych ustach malował się wyraz radości, przypominający półuśmiech.

Te cudowne skutki wynikają zresztą z natury rzeczy. Bażant, przyrządzony wedle wskazanego przepisu, sam z siebie wyborny, z zewnątrz jest nasycony smakowitym tłuszczem przypieczonej słoniny, wewnątrz zapachami bekasa i trufli, grzanka zaś z bogatym garniturem nasiąka podczas pieczenia się ptaka sokiem trzech rodzajów.

W ten sposób z rozmaitych połączonych smaków żaden nie wymyka się ocenie; jakoż doskona-

łość tego pieczystego czyni je godnym najdostoj-
nieszych stołów.

Parve, nec invideo sine me liber ibis in aulam![24].

Gastronomia u emigrantów

Każda Francuzka, pewność mam niezbitą,
Umie dbać o kuchnię z troską należytą.

Belle Arsène, III

W jednym z rozdziałów poprzednich przedstawiłem ogromne korzyści, jakie przyniosło Francji
smakoszostwo w 1815 roku. Ta powszechna skłonność nie mniej była dogodna dla emigrantów; i ci
spośród nich, którzy posiadali pewne talenty kuli-
narne, znaleźli w niej cenną pomoc.

Będąc przejazdem w Bostonie, nauczyłem restauratora, który zwał się Julien, przyrządzania
jajecznicy z serem. To nowe dla Ameryki danie
zrobiło taką furorę, że Julien, czując się zobowią-
zanym do wdzięczności, przysłał mi do Nowego
Jorku śliczną sarenkę, jedną z tych, na które poluje
się zimą w Kanadzie; komitet znawców zwołany
przeze mnie z tej okazji, orzekł, że jest doskonała.

W latach 1794–1795 kapitan Collet dorobił się
majątku w Nowym Jorku, produkując dla mieszkańców tego handlowego miasta lody i sorbety.

Zwłaszcza damy nie miały nigdy dość tego przy-
smaku, tak dla nich nowego; zabawne było patrzeć
na ich minki, kiedy raczyły się lodami; nie rozumia-
ły w żaden sposób, jakim cudem mogą być tak zimne przy dwudziestu sześciu stopniach Réaumura.

W Kolonii spotkałem bretońskiego szlachcica,
który założył tam trakiernię i wiodło mu się wybornie. Przykłady tego rodzaju mógłbym mnożyć;

---

[24] Idź beze mnie, książeczko, na dwór, nie zazdroszczę
(Owidiusz).

ale wolę przytoczyć, jako bardziej szczególną, historię pewnego Francuza, który wzbogacił się w Londynie dzięki umiejętności przyrządzania sałaty.

Ów Francuz pochodził z Limousin i jeśli pamięć mnie nie zawodzi, nazywał się d'Aubignac albo d'Albignac.

Choć mając nader ograniczone środki, jadał bardzo skromnie, wybrał się pewnego razu do jednej z najsłynniejszych trakieterni Londynu: d'Aubignac należał do ludzi, którzy uważają, że dobry obiad może składać się z jednego dania, byleby to danie było doskonałe.

Kiedy kończył swój soczysty rostbef, jeden z młodych ludzi najlepszej proweniencji (*dandies*), którzy raczyli się przy sąsiednim stole, wstał, podszedł do niego i powiedział grzecznym tonem:

– Panie Francuzie, powiadają, że wasz naród celuje w sztuce przyrządzania sałaty; czy byłby pan łaskaw przyrządzić sałatę dla nas?

D'Albignac zgodził się po chwili wahania i zażądał niezbędnych przypraw, aby móc sprostać pokładanym w nim nadziejom; a że nie szczędził starań, powiodło mu się znakomicie. Kiedy on dozował przyprawy, tamci pytali, jak mu się wiedzie

237

w Londynie; odparł, że jest emigrantem, i wyznał otwarcie, choć nie bez rumieńca, że otrzymuje zasiłek od rządu angielskiego, co upoważniło młodych ludzi do ofiarowania mu pięciofuntowego banknotu, który przyjął bez większych sprzeciwów.

Dał im swój adres; po niejakim czasie otrzymał list, który go zbytnio nie zaskoczył: w najgrzeczniejszej formie proszono go, aby zechciał przyrządzić sałatę w jednym z piękniejszych pałaców przy Grosvenor Square.

D'Albignac, pojmując, że rzecz może mu przynieść trwałe korzyści, nie wahał się ani przez chwilę i stawił, się punktualnie, zaopatrzony w kilka nowych przypraw, aby za ich pomocą doprowadzić swe dzieło do jeszcze większej doskonałości.

Miał czas, aby obmyśleć szczegóły, toteż i tym razem nie chybił, wynagrodzenie zaś było tak znaczne, że nie mógł go odrzucić bez szkody dla siebie.

Jak można odgadnąć, owi młodzieńcy wychwalali aż do przesady dobroć jego sałaty, której następni klienci nadali jeszcze większy rozgłos; sława d'Albignaca rosła więc szybko; nazywano go *fashionable salat-maker*; i w tym kraju, tak żądnym nowości, najwyborniejsze towarzystwo stolicy trzech królestw szalało wprost za sałatą przyrządzoną sposobem gentlemana francuskiego: *I die for it* stało się uświęconą formułą.

Czym mniszeczki pożądanie,
Gdy Angielka w szranki stanie?

D'Albignac, człowiek bystry, potrafił wyciągnąć korzyści z uwielbień, których był przedmiotem. Wkrótce miał kabriolet, aby móc szybko stawić się tam, gdzie go wzywano, oraz służącego, który niósł za nim w mahoniowym puzdrze wszystkie ingrediencje, jakimi wzbogacił swój repertuar: octy o rozmaitych zapachach, oliwy czyste albo o smaku oliwki, soję, kawior, trufle, *anchois*, ketchup, sok mięsny, a nawet żółtka, podstawę majonezu. Z czasem zaczął zamawiać puzdra tego rodzaju i całkowicie wyposażone sprzedawał setkami.

Wreszcie, przestrzegając dokładnie i rozumnie tej taktyki, doszedł do posiadania 80 000 franków, które zabrał do Francji, gdy nastały lepsze czasy.

Powróciwszy do ojczyzny, nic myślał o tym, aby błyszczeć w paryskim świecie, ale zatroszczył się o swoją przyszłość. 60 000 franków ulokował w papierach państwowych, które dawały wówczas pięćdziesiąt od sta, za pozostałe zaś 20 000 kupił mały dworek w Limousin, gdzie prawdopodobnie żyje po dziś dzień, zadowolony i szczęśliwy, skoro umie ograniczać swoje pragnienia.

Tych szczegółów dowiedziałem się od jednego z moich przyjaciół, który znał d'Albignaca w Londynie i spotkał go znowu, gdy ten był przejazdem w Paryżu.

La fondue

La fondue jest daniem szwajcarskim. Nie różni się właściwie niczym od jajecznicy z serem; chodzi tylko o proporcje, rezultat czasu i doświadczenia. Przytoczę dalej niezawodny na nią przepis.

Danie jest zdrowe, smaczne, apetyczne; przyrządzenie go nie wymaga wiele czasu, a więc można się odwołać do niego zawsze, kiedy zjawią się niespodziewani goście. Wspominam o nim na tym miejscu li tylko dla własnej przyjemności: nazwa kojarzy mi się z wydarzeniem, które pamiętają starzy ludzie z Belley.

Z końcem siedemnastego wieku pan de Madot został biskupem w Belley, dokąd przybył objąć swój urząd.

Ci, co mieli go przyjmować i czynić honory domu w pałacu biskupim, przygotowali ucztę godną wydarzenia i nie pominęli żadnej z możliwości kuchni ówczesnej, aby uczcić monsignora.

Wśród rozmaitych dań znalazła się również *founde*, której prałat nałożył sobie obficie. Lecz o niespodzianko! Nie znając potrawy i myśląc, że to jest krem, jadł ją łyżką, nie zaś widelcem, jak to przyjęte od niepamiętnych czasów.

Wszyscy biesiadnicy, zdumieni tą osobliwością, rzucali na siebie spojrzenia ukradkiem, uśmiechając się dyskretnie. Respekt wszakże nie pozwolił nikomu otworzyć ust, jakkolwiek bowiem zachowuje się biskup przybyły do Paryża, i to w pierwszym dniu swojego pobytu, nie ulega wątpliwości, że zachowuje się dobrze.

Ale rzecz nabrała rozgłosu i nazajutrz wszyscy mówili do wszystkich.

– Czyś pan słyszał, jak nasz nowy biskup jadł wczoraj *fondue*?

– Ależ tak, oczywiście; jadł łyżką. Wiem o tym od naocznego świadka etc., etc.

Z miasta wieść poszła na wieś i po trzech miesiącach cała diecezja wiedziała o sławnym wydarzeniu.

Warto dodać, że incydent o mało nie zachwiał wiarą naszych ojców. Nie zabrakło nowatorów, którzy opowiedzieli się za łyżką, ale szybko o nich zapomniano; widelec odniósł zwycięstwo; w wiek później jeden z moich ciotecznych dziadków opowiadał mi, śmiejąc się wielkim śmiechem, jak to kiedyś biskup Madot jadł *fondue* łyżką.

Pochodzący z papierów pana Trollet, sędziego w Mondon, kanton berneński.

Przepis na fondue

Zważ tyle jaj, ile trzeba dla przewidzianej liczby osób.

Następnie ukrój kawałek dobrego ementalera i kawałek masła: ser niechaj waży jedną trzecią ciężaru jaj, a masło jedną szóstą.

Ubij dobrze jaja w garnku, za czym dodaj do nich pokrojone albo posiekane ser i masło.

Postaw garnek na mocnym ogniu i kręć łyżką tak długo, aż mieszanina zgęstnieje i stanie się pulchna; dodaj odrobinę soli lub nie dodawaj jej wcale, zależnie od świeżości sera, sporo pieprzu, który jest charakterystycznym składnikiem tej starożytnej

potrawy i podaj na lekko ogrzanym półmisku; każ przynieść najlepsze wino i bądź pewien efektu.

Miscellanea – Łaskawy panie – mówiła pewnego razu stara markiza z Saint-Germain, siedząca przy jednym końcu stołu, do pewnego radcy znajdującego się u drugiego końca – jakie wino pan woli, burgunda czy bordeaux?

– Pani – odparł tonem druidycznym zapytany – rzecz dotyczy procesu, którego dowody rzeczowe dają mi tyle przyjemności, że z tygodnia na tydzień odkładam wyrok.

*

Na obiedzie w pewnym domu w Chaussée--d'Antin podano kiełbasę z Arles gigantycznych rozmiarów.

– Czy nie zechciałaby pani skosztować – rzecze gospodarz do swojej sąsiadki – ten przedmiot zdradza, mam nadzieję, pochodzenie z dobrego domu.

– W istocie jest ogromny – odparła dama, przyglądając się kiełbasie ze złośliwą miną – szkoda tylko, że niepodobny do niczego.

*

Smakoszostwo mają w estymie przede wszystkim ludzie inteligentni: inni nie są zdolni do niezbędnych tu ocen i sądów.

Hrabina de Genlis chlubi się w swoich *Pamiętnikach*, że nauczyła pewną Niemkę, która ją dobrze przyjęła, przyrządzania siedmiu wybornych dań.

*

Hrabia de la Place odkrył bardzo wyszukany sposób przyrządzania poziomek, który polega na skropieniu owoców sokiem ze słodkiej pomarańczy (jabłko Hesperyd).

Inny uczony wzbogacił ten sposób, dodając miąższ pomarańczy natarty kawałkiem cukru; utrzymywał przy tym, na podstawie skrawka rękopisu uratowanego z pożaru, co strawił bibliotekę w Aleksandrii, że w tej postaci podawano poziomki podczas uczt na górze Ida.

Nie mam wysokiego wyobrażenia o tym człowieku – mówił hrabia M. o kandydacie mianowanym na pewne stanowisko: – Nie jadł nigdy flaków *à la Richelieu* i nie wie, co to są kotlety *à la Soubise.*

*

Pewien jegomość, co lubił wypić, siedział przy stole; na deser podano winogrona.

– Dziękuję – powiedział, odsuwając talerz – nie mam w zwyczaju brać wina w pigułkach.

*

Winszowano pewnemu smakoszowi nominacji na stanowisko królewskiego poborcy w Périgueux; mówiono mu o rozkoszach, jakich zazna na tej ziemi dobrego jadła, trufli, czerwonych kuropatw, nadziewanych truflami indyków etc., etc.

– Ach – westchnął zasmucony gastronom – czy jest jednak rzeczą pewną, że można żyć w okolicy, gdzie nie ma połowów?

Dzień u bernardynów

Była blisko pierwsza nad ranem; noc była piękna, letnia, jechaliśmy kawalkadą, wpierw odśpiewawszy ognistą serenadę ku czci najśliczniejszych, co miały szczęście cieszyć się naszymi względami (rzecz działa się w 1782).

Jechaliśmy z Belley do Saint-Sulpice, opactwa bernardynów położonego na jednej z największych

gór w tych stronach, wznoszącej się co najmniej na wysokość pięciu tysięcy stóp nad poziomem morza.

Przewodziłem wówczas zespołowi muzyków amatorów; wszyscy byliśmy przyjaciółmi radości i nie brakło nam żadnej z zalet, które towarzyszą młodości i zdrowiu.

– Mój drogi panie – powiedział mi pewnego razu przeor Saint-Sulpice, biorąc mnie po obiedzie na stronę – bardzo to byłoby ładnie, gdybyś przyjechał z przyjaciółmi w dzień św. Bernarda pomuzykować nam trochę; uczcicie w ten sposób naszego patrona, uradujecie naszych sąsiadów, wam samym zaś przypadnie chwała pierwszych Orfeuszy, co dotarli do naszych górskich okolic.

Nie kazałem sobie powtarzać dwa razy tej prośby, która obiecywała przyjemną wyprawę, i skinąłem twierdząco głową ku aplauzowi zebranych.

Annuit, et totum nutu tremefecit Olympum[25].

Wszystko zostało ułożone zawczasu; wyruszyliśmy wcześnie, mieliśmy bowiem cztery mile do

[25] Zgodził się i skinieniem wstrząsnął Olimp cały.

zrobienia, drogi zaś mogłyby przerazić nawet tych śmiałków, którzy pokonali potężne wzgórze Montmartre.

Klasztor był zbudowany w dolinie zamkniętej od zachodu wierzchołkiem góry, od wschodu zaś mniej ostrym stokiem.

Szczyt zachodni wieńczył las świerkowy; kiedyś huragan obalił tam za jednym zamachem trzydzieści siedem tysięcy drzew. W głębi doliny rozpościerała się ogromna łąka, którą kępy buków dzieliły na nieregularne części, tworząc wspaniały model owych małych parków angielskich, które tak lubimy.

Przyjechaliśmy o wschodzie słońca; przyjął nas ojciec szafarz o kwadratowej twarzy i nosie w kształcie obeliska.

– Witajcie, panowie – rzekł zacny ojciec. – Nasz świątobliwy przeor będzie bardzo rad z waszego przybycia; jest jeszcze w łóżku, bo wczoraj utrudził się bardzo; wy wszakże pójdziecie ze mną, a przekonacie się, że czekaliśmy na was.

Za czym ruszył przodem, a my za nim, przypuszczając roztropnie, że wiedzie nas do refektarza.

Tu wszystkie nasze zmysły poraził widok najbardziej kuszącego śniadania, śniadania zaiste klasycznego.

Pośrodku obszernego stołu wznosił się pasztet wielki jak kościół; od północnej flanki graniczył z ćwiercią zimnej cielęciny, od południa z ogromną szynką, od wschodu z monumentalną bryłą masła, od zachodu wreszcie z korcem karczochów w ostrym sosie.

Na stole znajdowały się ponadto rozmaitych rodzajów owoce, talerze, serwetki, noże, sztućce w koszykach; u końca zaś stołu stali bracia świeccy i służący gotowi do usług, choć nieco nieprzytomni od tak rannego wstania.

245

W kącie refektarza widać było stos ze stu z górą butelek, wciąż chłodzonych wodą z naturalnego źródła, które szeptało *Evohe Bacche*; i jeśli zapach kawy nie uderzał nam do nozdrzy, to tylko dlatego, że w owych heroicznych czasach nie było w zwyczaju pić kawy tak wcześnie.

Wielebny szafarz napawał się przez niejaki czas naszym zaskoczeniem; za czym palnął krótką mówkę, którą w naszej mądrości oceniliśmy jako przygotowaną zawczasu.

– Panowie – rzekł – pragnąłbym dotrzymać wam towarzystwa, alem jeszcze nie był na mszy, a dziś jest dzień wielkiego nabożeństwa. Powinienem was zachęcać do jedzenia, ale wasz wiek, podróż i rześkie powietrze górskie zwalniają mnie od tego obowiązku. Przyjmijcie więc życzliwie to, co ofiarujemy wam z dobrego serca; ja idę na jutrznię.

Co powiedziawszy, wyszedł.

Teraz należało wziąć się do dzieła; rozpoczęliśmy tedy atak z energią, której przydawały nam trzy okoliczności tak trafnie określone przez ojca szafarza. Lecz cóż mogą słabe dzieci Adama wobec posiłku, który zdawał się przygotowany dla mieszkańców Syriusza! Wszystkie próby były daremne; i choć podjedliśmy sobie tęgo, efekty naszych działań były mizerne.

Pokrzepieni niezgorzej do pory obiadu, rozeszliśmy się w różne strony; ja położyłem się na wygodnym posłaniu i usnąłem; podobny do bohatera bitwy pod Rocroy czy innych, co spali do ostatniej chwili przed batalią, odpoczywałem, aż zawezwą mnie na mszę.

Obudził mnie krzepki braciszek, który omal nie wydarł mi rąk ze stawów; zaraz też pospieszyłem do kościoła, gdzie wszyscy byli już na swoich miejscach.

Wykonaliśmy symfonię na ofertorium; potem odśpiewaliśmy motet na podniesienie i zakończyliśmy kwartetem na instrumenty dęte. I choć złośliwcy pokpiwają sobie z amatorskiej muzyki, szacunek dla prawdy każe mi powiedzieć, że poszło nam wcale dobrze.

Przy tej okazji pozwolę sobie powiedzieć, że ludzie, co nigdy nie są z niczego zadowoleni, to niemal zawsze ignoranci; wydają zuchwałe wyroki w nadziei, że ich śmiałość zaświadczy o wiedzy, na której zdobycie nie starczyło im hartu.

Dobrotliwie wysłuchaliśmy pochwał, którymi nas obsypano, oraz podziękowań przeora, za czym udaliśmy się do refektarza.

Obiad był w guście piętnastego wieku; niewiele potraw dopełniających i dodatków; za to mięsa w doskonałym wyborze, potrawki proste i treściwe, znakomite pieczyste, nade wszystko zaś wyborne jarzyny o smaku nieznanym na bagnistych ziemiach; doprawdy, pragnąć można było tego tylko, co mieliśmy przed oczami.

Czytelnik oceni przy tym obfitość posiłku, gdy powiem, że na drugie podano czternaście rodzajów pieczystego.

Deser tym bardziej był godzien uwagi, że składał się po części z owoców, które zgoła nie rosną na tych wysokościach: przywieziono je z dolin, z ogrodów w Machuraz, Morflent oraz z innych okolic, którym sprzyja ciepłem darzące słońce.

Nie zabrakło też likierów; na oddzielną jednak wzmiankę zasługuje kawa.

Była to kawa przejrzysta, pachnąca, cudownie gorąca; i nie podano jej w tych zniekształconych naczyniach, które nad brzegami Sekwany nazywają filiżankami, ale w pięknych głębokich czarkach; grube wargi wielebnych ojczulków zanurzały się w nich swobodnie i wciągały ożywczy napój z hała-

sem, którego nie powstydziłaby się para kaszalotów przed burzą.

Po obiedzie poszliśmy na nieszpory, gdzie prócz psalmów wykonaliśmy antyfony, specjalnie skomponowane przeze mnie. Była to muzyka w stylu uprawianym podówczas; nie mówię o niej ani źle, ani dobrze z obawy, że czy to skromność, czy autorstwo zaważy na mojej ocenie.

Tak oto zakończyły się uroczystości oficjalne, sąsiedzi zaczęli znikać, inni zasiedli do gier.

Ja wolałem spacer; z kilku przyjaciółmi przechadzaliśmy się po murawie pięknej i gęstej niczym dywany z Savonnerie i oddychałem czystym powietrzem gór, które odświeża duszę i usposabia wyobraźnię do rozmyślań i romantyzmu.

Wróciliśmy późno. Zjawił się przeor, aby życzyć mi dobrego wieczoru i nocy.

– Wracam do mojej celi – powiedział – wy zaś zakończcie mile wieczór. Zgoła nie sądzę, żeby moja obecność przeszkadzała ojcom; ale chcę, by wiedzieli, że rozporządzają całkowitą swobodą. Nie co dzień jest św. Bernarda; jutro powrócimy do zwyczajnego trybu; *cras iterabimus aequor*.

W samej rzeczy, po odejściu przeora towarzystwo się ożywiło; zrobiło się głośniej i częściej można było słyszeć dykteryjki, jakie opowiada się po klasztorach: niewiele znaczą i wszyscy się śmieją, nie bardzo wiadomo dlaczego.

Około dziewiątej podano kolację; kolację starannie przygotowaną, lekką i odległą od obiadu o całe wieki.

Zabraliśmy się do niej z nowymi siłami, rozmawialiśmy, śmieliśmy się, śpiewali piosenki; jeden z ojczulków przeczytał nam swoje wiersze, wcale niezłe jak na mnicha.

Na koniec ktoś zawołał:

– Ej, ojcze szafarzu, a gdzież twoja niespodzianka?

– Rzeczywiście – odparł wielebny – nikt nie powie, że jestem szafarzem na próżno.

Wyszedł i po chwili powrócił w towarzystwie trzech służących; pierwszy z nich niósł grzanki z wybornym masłem, dwaj inni zaś stół, na którym znajdowała się kadź z osłodzoną i gorącą wódką; był to niemal poncz, którego w tych czasach jeszcze nieznano.

Nowo przybyłych powitano oklaskami; zabraliśmy się do grzanek i ognistej wódki; kiedy zaś zegar opactwa wybił północ, wszyscy rozeszli się do swoich pokoi, aby zaznać słodyczy snu, do którego pracowicie spędzony dzień usposobił i dał prawo.

N.B. Kiedy ojciec szafarz, o którym jest mowa w tym opowiadaniu najściślej prawdziwym, był już dobrze stały, mówiono w jego obecności o nowym przeorze spodziewanym z Paryża, a uchodzącym za bardzo surowego.

– Co do mnie – powiedział zacny ojciec – to jestem całkiem spokojny; choćby był najzłośliwszy w świecie, nie ośmieli się nigdy pozbawić starca kąta przy kominku i kluczy od piwnicy.

Pierwsi rodzice rodzaju ludzkiego, smakosze nad smakoszami, co wyrzekliście się raju dla jabłka: czegóż tedy nie uczynilibyście dla indyka z truflami? Ale w ogrójcu rozkoszy nie było ani kucharzy, ani cukierników.

**Prywacje.
Elegia
historyczna**

Jak mi was żal!

Potężni królowie, co zburzyliście wspaniałą Troję, chwała wasza przetrwa wieki; wszelako stół wasz był nędzny. Zmuszeni zadowalać się ćwiercią wołu i tylcem wieprza, nie zaznaliście nigdy rozkosznego smaku potrawki z ryb w winnym sosie, zwanej *matelote* ani potrawki z kurczęcia.

Jak mi was żal!

Aspazjo, Chloe i wy wszystkie, które uwieczniło dłuto Greków ku rozpaczy pięknych dam dzisiejszych, nigdy wasze heskie usta nie zaznały słodyczy ciasteczka z wanilią czy różą; wzniosłyście się zaledwie do smaku piernika.

Jak mi was żal!

Słodkie kapłanki Westy tak bardzo czczone i groźbą mąk tak strasznych zagrożone, gdybyście choć zakosztowały soków, co odświeżają duszę, kandyzowanych owoców, co zwyciężyły pory roku, albo aromatycznych kremów, co są ozdobą naszego czasu.

Jak mi was żal!

Bogacze Rzymu, którzy wyciskaliście pieniądze zewsząd, gdzie stanęła rzymska stopa, nigdy w waszych sławnych salonach nie pojawiły się soczyste galaretki, ta rozkosz podniebienia, ani lody rozmaitych rodzajów, których chłód pokonałby żar strefy gorącej.

Jak mi was żal!

Niezwyciężeni palatyni, stawieni śpiewem poetów, kiedy już odrąbaliście głowy olbrzymom, wyzwolili damy serc waszych, pokonali wrogie zastępy, nigdy, ach! Nigdy branka o czarnych oczach nie podała wam pienistego szampana, małmazji, madery, likierów, które są wynalazkiem wielkiego wieku; wy, co poprzestać musieliście na jęczmiennym piwie i wywarach z ziół.

Jak mi was żal!

Księża z pastorałem w ręku, zdobni w mitry, wy, rozdawcy łask niebios, i wy, straszliwi templariusze, co wytępiliście mieczem Saracenów: nie znaliście słodkiego smaku czekolady ani ziaren z Arabii, co żywą myśl rodzą.

Jak mi was żal!

Wspaniałe kasztelanki, samotne w czas wypraw krzyżowych, które do najwyższych łask dopuściłyście swoich spowiedników i paziów, nigdy nie dzieliłyście z nimi delikatnego biszkopta i smakowitego makaronika.

Jak mi was żal!

Wy wreszcie, gastronomowie roku 1825, którzy żyjecie wśród obfitości i śnicie o nowych pomysłach, nie dla was są odkrycia roku 1900, smaki, które nauka odnajdzie w minerałach, likwory powstałe pod ciśnieniem stu atmosfer; i nie ujrzycie wyrobów, które nieurodzeni jeszcze podróżni przywiozą z niezbadanych okolic naszego globu.

Jak mi was żal!

Posłanie
do gastronomów
Starego i Nowego Świata

Ekscelencje!

Dziełko, które ofiarowuję wam w hołdzie, za cel sobie stawia przedstawienie powszechności zasad nauki, której jesteście ozdobą i oparciem.

Czyniąc to, składam zarazem hołd Gastronomii, młodej i nieśmiertelnej muzie, która, od tak niedawna nosząc koronę z gwiazd, już góruje nad swoimi siostrami, podobna Kalipso, wyższej o głowę od czarujących nimf otaczających ją kołem.

Świątynia Gastronomii, ozdoba stolicy świata, wzniesie wkrótce do nieba swoje ogromne portyki; napełnicie ją swymi głosami; wsławicie talentami; i kiedy przypowiedniami obiecana akademia powstanie na niewzruszonych podstawach przyjemności i konieczności, wy, oświeceni smakosze i mili biesiadnicy, będziecie jej członkami i korespondentami.

Na razie zwróćcie ku niebu promienne twarze; zyskujcie na sile i majestacie; wszechświat smaku stoi przed wami otworem.

Pracujcie, panowie; nauczajcie dla dobra wiedzy; zajadajcie w waszym własnym interesie; a jeśli zdarzy wam się w toku pracy dokonać jakiegoś ważnego odkrycia, zechciejcie się nim podzielić z najpowolniejszym z waszych sług.

Autor *Medytacji gastronomicznych*

Ilustracje zostały zaczerpnięte z następujących dzieł:
Les classiques de la table à l'usage des praticiens et des gens du monde, Paris 1843.

Brillat-Savarin, J.A. *Phisiologie du goût ou méditations de gastronomie transcendante...*, Paris 1848.

Le diable à Paris. Paris et les Parisiens. Moeurs et coutumes, caractères et portraits des habitants de Paris. Tableau complet de leur vie privée, publique, littéraire etc., etc., Paris 1846, 2 tomy.

Spis treści